OOR WULLIE
CAROLS
£3.50

D. C. THOMSON & CO. LTD., GLASGOW: LONDON: DUNDEE

A

If there were ELEVEN o' me,
A fitba' team I'd like tae be,
An' 'gainst those ither Sunday stars,
The Broons, a weekly game we'd see.

There'd be nae doubt just wha wid win,
'Cos circles roond the Broons I'd rin.
Granpaw an' Hen an' Joe an' a'
Are nae match for the big WEE yin!

An' Scotland's team wid read, let's see . . .
Wullie, Wullie, Wullie, Wulleee!
While up front, tae test the best,
Six mair Wulls and yours truleee!

But Scotland's dream can never be.
Oor best bet's still a penaltee!
Sadly we'll aye be ten men short,
'Cos there can be but ONE o' ME!

Printed and published by D. C. Thomson & Co. Ltd., 185 Fleet Street, London EC4A 2HS.

ISBN 0-85116-552-4.

Boys will be boys —

With Christmas toys!

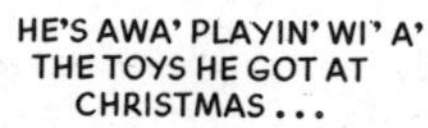
HE'S AWA' PLAYIN' WI' A' THE TOYS HE GOT AT CHRISTMAS . . .

THIS IS A SMASHIN' SKATEBOARD I GOT. BUT IT'S NO' MY FAVOURITE PRESENT . . .

. . . EVEN IF IT IS A LOT O' FUN!

JINGS! I DIDNAE KEN YE WERE INTAE SKATEBOARDIN', MR MURDOCH!
AARGH!

GRR!
SORRY ABOOT THAT. HO-HO!

MY BOOMERANG'S GREAT AS WELL . . .

YAH! MISSED!
BUT IT'S NO' MY FAVOURITE EITHER . . .

. . . EVEN IF IT DOES WORK AFFY WEEL!
OOYAH!

AN' MY NEW TRANNY'S . . .
SNOOZE

PARK ATTENDANT
. . . GOT A BUILT-IN EXTRA LOUD ALARM!
HELP! WHISSAT?
CLICK!
BLARE

BUT I'VE GOT SOMETHING EVEN BETTER THAN MY TRANNY . . .

IT'S MY GIANT-SIZE DISGUISE OUTFIT. NOW THAT'S MY FAVOURITE PRESSIE!
KNOCK! KNOCK!
AND THAT'S SOMEBODY AT THE DOOR!
DISGUISE OUTFITS

WHIT'S THAT? WULLIE? NO, HE'S NO' IN. HE'S EMIGRATED TAE AUCHTERMUCHTY. I'M HIS UNCLE ANNIE . . . ER . . . AUNTIE ALBERT . . .

THAT FAIR FOOLED THEM!
WHA'S HE KIDDIN'?

Look wha's in the book!

JINGS, SOMEBODY'S DRAPPED A NOTEBOOK!

IT'S NEW. MEBBE IT'S A REPORTER'S NOTEBOOK!

HMM. LET'S SEE. HERE'S A SCOOP. A LARGE HOLE HAS APPEARED IN THE HIGH STREET . . .

THE ROADS DEPARTMENT IS LOOKING INTO IT!
CHEEKY WEE DEIL!

MEBBE SOMEBODY WANTED TAE COLLECT CAR NUMBERS.

THIS IS A BUSY CORNER FOR CARS.

BUT —
ACH!
ZOOM

HMPH! MEBBE IT'S AN AUTOGRAPH BOOK!

GYM
GUS
THERE'S GUS GORILLA, THE WRESTLER. I'LL GET HIS AUTOGRAPH!

SORRY, WULLIE! I HURT MY ARM IN LAST NIGHT'S FIGHT. I'LL HAE TAE USE MY LEFT HAND.

GUS
ACH, HE CANNA WRITE WI' HIS LEFT HAND!
X

I'VE GONE RIGHT AFF THIS STUPID BOOK!
HOI!

MY NEW NOTEBOOK! I THOUGHT I'D LOST IT!
YOURS!

THROWING STUFF AWA'! YE'RE NOTHING BUT A LITTER LOUT! LET'S HAE YER NAME AND ADDRESS!
YE KEN FINE!

THE FIRST NAME IN MY NEW BOOK . . . AS USUAL!
WINK!

THIS IS GOIN' TAE BE ANE O' THAE YEARS!

Wullie stays cool —

While Pa feels a fool.

JINGS, IT'S NO' HALF HOT IN HERE!

I'LL TURN AFF THE GAS FIRE!
POP!
HOI! I'M HERE AS WELL, YE KEN!

LET'S TRY TAE GET SOME COOL AIR IN HERE!
DAE YE MIND?

SHUT THE DOOR AND STOP MAKIN' DRAUGHTS!
SLAM!
HUH!

WELL, YE'LL NO' MIND . . .

. . . IF I SWITCH ON THE AULD FAN TAE COOL THE PLACE DOON!
GWUMPH!

AFF!
HUH! A'RIGHT! BUT IT'S AFFY HOT IN HERE!

I KEN!

I'LL PLAY WI' THE SNA'BA'S I STORED IN THE FREEZER LAST MONTH. THAT'LL COOL ME DOON!

OOPS!
SHEESH! THAT DOES IT!

IF YE'RE THAT HOT, YE CAN GO OOTSIDE — AND STAY OOTSIDE!
OKAY, PA! IF YOU SAY SO!

YE FELL FOR IT, DIDN'T YE?
FELL FOR IT? WHIT DAE YE MEAN?

IT'S ONLY AN HOUR SINCE YE SAID HE WIS BEIN' KEPT IN FOR PENTIN' HIS CAIRTIE WI' YER SHAVIN' BRUSH!
WAHEY!
CRIVVENS! I'VE BEEN DONE— AGAIN!

NO' BAD, EH?!

Wullie feels the chill —

But he also knows the drill.

JINGS, IT'S NO' HALF CAULD THIS MORNIN'!

THE GRUND'S FROZEN SOLID! I'LL TRY GIEN' IT A KICK!

OOYAH! THAT WIS SAIR. I'LL HAE TAE THINK O' ANITHER WAY O' DAEIN' IT!

PA'S SPADE SHOULD DAE THE TRICK!

JINGS, I'VE BENT THE SPADE!
AHEM!

AND —
CRIVVENS! I'VE BROKEN HIS PICK NOW!

I'LL TRY A HAMMER AN' CHISEL!

SHEESH!
CLANG!
BOUNCE
WULLIE!

THERE'S ONLY ONE WAY! THINK BIG, WULLIE!

AND SO —
AYE, OKAY, WULLIE!
ROAD WORKS
ROADS DEPT
THAT'S AFFY GUID O' YE, TAM! IT'S NO' FOR ME, YE UNDERSTAND!

DRILL RIGHT THERE!

BRAW!

THANKS, TAM!

JIST IN TIME!
HERE YE ARE, BONZO!

GRANPAW AYE GIES BONZO HIS SOUP BONE ON SATURDAY, AND BONZO AYE BURIES IT IN OOR GAIRDEN!

WELL, YE CANNA LET A PAL DOON!

You'll hoot when you read aboot —

Wullie's sair foot.

SNIFF!

WHAT'S WRONG WITH YOUR FOOT, WULLIE?
I DINNA KEN, BUT IT'S AFFY SAIR! I THINK I'LL BETTER GET TAE THE DOCTOR'S!
HIRPLE

I'M PASSING THAT WAY. GET IN BESIDE FRED.
TA!

TUT-TUT! NAUGHTY BOY, FRED!
THUMP!
OOYAH!

WHOA! THIS'LL DAE FINE, MRS GREEN!
OH!

THEN—
WHIT'S WRANG WI' YER FOOT?
I DINNA KEN, BUT IT'S NO' HALF ACHIN'!
LIMP!

I SUPPOSE IT'S THE KIND O' INJURY A FITBA STAR LIKE ME CAN GET EFTER HITTIN' THE BA' SAE HARD A' THAE YEARS!

PUIR WULLIE! WE'D BETTER START LOOKIN' FOR ANITHER CENTRE FORWARD!
HIRPLE!

HELLO, WULLIE! WHAUR ARE YOU LIMPIN' AFF TAE?
THE DOCTOR'S! I'VE GOT A SAIR FOOT!

HOP ON MY BIKE! I'LL PUSH YE TAE THE SURGERY!

I'M NO' TOO HEAVY, I HOPE . . .
PUFF! YE'RE NO' EXACTLY GETTIN' ANY LIGHTER, EATIN' A' MY GRANNY SOOKERS!

FINALLY—
TELL ME THE WORST, DOCTOR. IS MY FITBA CAREER FEENISHED? IS THERE A CURE?
CURE? OH, YES . . .

GASP!
ALL I HAVE TO DO IS TAKE THIS WAD OF PAPER OUT OF YOUR BOOT!

I FORGOT MA STUFFED THAT IN MY BOOT LAST NIGHT AFTER I GOT IT SOAKED PLAYIN' IN PRANNY POND!

I THINK THAT'S WHAT CALLED PUTTIN' YER FOOT IN IT!

Hi diddle diddle! —

Wullie's on the fiddle!

IT'S MY FIDDLE LESSON TODAY!
DOON IN THE DUMPS!

NAE EXCUSES! YE'RE GOIN', AN' THAT'S THAT!
ACH!

IF I HAD A CAULD LIKE THAT MANNIE, I WOULDNAE HAE TAE GO!
CHOO!

ECK'S GOT A WATER PISTOL! THE VERY DAB! I'LL GET HIM TAE SOAK ME AN' GIE ME A CAULD!

YAH! YE COULDNA HIT A BARN DOOR!

JINGS! I WIS RICHT! HE'S HOPELESS!
HOI!

C'MERE, TILL I PULVERISE YE!
NO THANKS!

THERE'S GRANPAW BROON AWA' INTAE THE PENSIONERS' CLUB FOR HIS DENNER!

HE AYE PITS LOTS O' PEPPER IN HIS SOUP! THAT WID MAK' ME SNEEZE!

BUT—
NO SOUP TODAY. IT'S FRUIT JUICE INSTEAD!
ACH, NAE SNEEZIN' EITHER!

TICKLE!
ACHOO!
TCH! MY FEATHER DUSTER'S GIVEN UP THE GHOST!
FEATHERS! THEY WID MAK' ME SNEEZE!

I'LL BORROW A FEATHER OR TWA FRAE GROUSER GREEN'S HENS!

AHEM!
HELP! GERRAFF!

S. CREECH
VIOLIN LESSONS
AH, WELL, I'LL JUST HAE TAE GO TAE MY FIDDLE LESSON!

ACHOO! DOH! SORRY, WILLIAM! I'B GOT A COLD! I'LL HAB TO CANCEL YOUR LESSON!
GASP!

HMPH! A' THAT SCHEMIN' FOR NOTHIN'!

Whit a cheek — Boab winna speak!

I THINK I'LL GO AN' SEE IF BOAB'S COMIN' OOT TAE PLAY!

HI, WULLIE! GOIN' FOR BOAB? YE NEEDNA BOTHER — HE'S NO' SPEAKIN' TAE US!

MEBBE IT'S BECAUSE I TRIPPED HIM AT FITBA YESTERDAY . . . OR BECAUSE I MADE HIM LOOK THE ITHER WAY WHILE SOAPY NABBED SOME O' HIS SWEETIES . . . OR BECAUSE I HIT HIM INSTEAD O' THON TIN CAN, WI' MY SNA'BA!

HI, BOAB! ARE YE COMIN' OOT?
SILENCE!

JINGS! SOAPY WIS RIGHT! I'LL NEED TAE DAE SOMETHIN' TAE MAK' US PALS AGAIN!

I'LL DAE A DAFT DANCE AN' MAK' HIM LAUGH. THAT'LL BREAK THE ICE!

BUT . . .
YIKES!
SKID

BRR! THAT CERTAINLY BROKE THE ICE! BUT BOAB DISNAE LOOK ANY FRIENDLIER!

I'LL SING HIS FAVOURITE SANG. HE CAN NEVER RESIST JOININ' IN!

OH, YE CANNAE SHOVE YER GRANNY AFF A BUS . . . YE CANNAE SHOVE —
MAIR SILENCE!

HEY! YOU! SHURRUP! I'M TRYIN' TAE HAE A NAP!
OUCH! ACH, THAT WISNAE WORKIN' ANYWAY!
DONK!

AND SO —
LOOK, BOAB! I'VE GONE AN' GOT YE A CAN O' JUICE, AN' A BEANO. A PEACE OFFERIN'! LET'S BE PALS AGAIN!
BEANO

AHEM!
TA FOR THE THINGS. I'M NO' IN THE HUFF. I'M NO' ALLOWED OOT, AN' I CANNA SPEAK COS I'VE GOT TONSILLY-TONSUL-TONSIL — A SAIR THROAT.
GASP!

YE ROTTER! YE DID THAT ON PURPOSE! WELL, NOW I'M NO' SPEAKIN' TAE YOU!

Wild West fun for everyone!

TALL IN THE SADDLE
STARRING SEAN PAIN
HI, ECK. YE'RE LOOKIN' AWFY THOUGHTFUL!
AYE, I WIS JIST WISHIN' I'D LIVED IN THE WILD WEST. IT MUST HAVE BEEN BRAW!

CINEMA
AWA'! IT'S JIST THE SAME LIVIN' HERE AS IN THE WILD WEST. COME ON, I'LL SHOW YE!

HOOT!
CRANKS & SPINDLES LTD
ARE YE READY . . . ?

THERE! HOWZAT FOR A REAL STAMPEDE!
SHEESH!

THAT WISNAE A REAL STAMPEDE!
HANG ON! I'LL SHOW YE A REAL ROUND-UP!

COOMARKET NURSERY SCHOOL
RIGHT, EFFIE. TIME TAE ROUND THEM UP!
IN YE GO, BILLY!
C'MERE, SAMMY!
THERE YE ARE!

PARK
PARK
AND IF WE'RE LUCKY, WE'LL SEE A REAL SHOOT-OUT HERE!
JINGS!

AYE, THERE IT IS!
ACH, I HATE THAE PENALTY SHOOT-OUTS!
GOAL! THAT'S US THREE PENALTIES TAE TWA IN THE LEAD!
WHOOMFF!

YE'RE JIST A TWISTER! NANE O' THAE THINGS YE'VE SHOWED ME HAVE BEEN REAL WILD WEST STUFF!
A'RIGHT, THEN. TELL ME SOMETHIN' REALLY WESTERN YE'D LIKE TAE SEE!

WELL . . . ER . . . A RODEO THING. LIKE SOMEBODY TRYIN' TAE RIDE A BUCKIN' BRONCO!
HMM . . .
DUMP

WAIT THERE!
DUMP

THERE YE ARE! HOWZAT FOR A BUCKIN' BRONCO RIDE?
HMM, WELL . . .

HEY! LOOK OOT, WULLIE! HERE COMES THE SHERIFF!
AWA'! THERE'S NAE SHERIFFS HERE!

OH, AYE, THERE IS — SHERIFF MURDOCH!
OH-HO! WHIT'S THIS THEN? RIDIN' A BICYCLE IN A BAD STATE O' REPAIR!
GULP!

I'LL LET YE AFF THIS TIME, PARDNER, BUT NEXT TIME IT'LL BE SIXTY DAYS IN THE JAILHOOSE!
THANKS, SHER — ER — P.C. MURDOCH!

I HOPE HE WISNAE SERIOUS!

Wullie's gamp keeps out the damp!

HE'S KICKIN' A BA' ABOOT IN THE GARDEN. CRIVVENS! WHIT WIS THAT?
CRASH!

TRUST ME TAE DAE A DAFT THING LIKE THAT!

LOOKS LIKE I'LL HAE TAE GIE MY BUCKET UP FOR A WHILE — BUT IT SERVES ME RICHT!

JINGS! THIS'LL NO' DAE — IT'S LEAKIN'!

I'LL USE MA'S BASIN!

NO' JIST NOW, YE WINNA! GRANPAW BROON'S USIN' IT!
AAH! THAT'S BRAW, EFTER THAT LANG WALK!
AW!

WELL, IT'S A' MY FAULT, SO I'LL JIST HAE TAE PROVIDE A SUBSTITUTE!
HOI! WATCH IT!

SOON BE READY NOW!

AW! IT'S A' DRAINED AWA'!

THERE'S AN AULD HORSE TROUGH IN FAIRMER GREEN'S FIELD. THAT WID DAE FINE. HE DOESNA USE IT!

HELP!
NO, BUT MY COOS DO!

I'M RUNNIN' OOT O' IDEAS!

THEN —
HEY, WULLIE — HERE'S THE UMBRELLA I BORROWED FRAE YER FAITHER LAST WEEK!
SMASHIN'!

THE VERY DAB! IT'S WATERPROOF — AND THERE'S NAE HOLES IN IT!

NAE PROBLEM THIS TIME! HELP YERSELS, LADS!

I'M SORRY I KNOCKED YER BIRD BATH OWER! I'LL FIX IT WHEN I CAN AFFORD CEMENT!

This little piggy went to bank it!

THERE'S FIFTY PENCE IN MY AULD PIGGY BANK!

JIST ENOUGH TAE BUY ME THE BEANO AN' A POKE O' GRANNY SOOKERS!
HEAVY READING!

AH, THANKS, WULLIE. I'VE BEEN LOOKIN' FOR THAT COOKERY BOOK. IT'S TIME IT WIS BACK TAE THE LIBRARY!
AW!

FATTY FRASER SITS ON THIS BENCH EVERY MORNIN' TAE EAT HIS MORNIN' PIECE. THAT'LL BURST MY PIGGY BANK!

THAT SOUNDS LIKE HIM NOW!
THUMP! THUMP!

BUT —
'LO, WULLIE. CANNA STOP. I'VE TAKEN UP JOGGIN' TAE GET MA WEIGHT DOON!
GASP!

LATER —
IT'S NAE GUID! I'VE TRIED A'THING, AND I CANNA BREAK IT OPEN!

I GIE UP! WHIT'S THE GOOD O' A BANKIE IF YE CANNA GET YER MONEY OOT?
WULLIE'S HOOSE

BUT —
CRIVVENS! MY FIFTY PENCE HAS JINKED OOT!
WULLIE'S HOOSE
50

WID YE BELIEVE IT!
WHIT'S THIS?

HERE, WULLIE — C'MERE!

I'VE JUST FOUND THIS FIFTY PENCE IN THE STREET. PIT IT IN YER PIGGY BANK!
EH?
CLINK!

GROWN-UPS ARE AFFY STUPID!
SMIRK!

Wullie's in a fix —

But he's got a box o' tricks!

HAVE YOU SEEN THE NEW LAD THAT'S COME TAE BIDE AT NO. 28? HE'S A BIG LAD!
AYE, ABOOT EIGHT FEET FOWER!
AND HE'S A BOXER!

HERE HE COMES NOW!

HEY, YOU IN THE DUNGAREES! I HEAR YOU'RE THE BEST BOXER AROOND HERE!
ER, AYE, THAT'S RIGHT!

WELL, I'M CHALLENGING YE TAE A BOXING MATCH. I'LL MEET YE HERE IN AN HOUR!
SHEESH!
JINGS!
MAMMY!

YE'LL NEED TAE GET IN TRAINING!
AYE, THAT'S RIGHT!

WHIT GOES ON?

GUID BOXER, EH? WE'LL SEE!

YE'LL NO' GET A BETTER BOX THAN THIS!
DAFT GOWK! NO' THAT KIND O' BOXIN'!
HERE COMES BASHER!

RIGHT THEN! NOW WE'LL SEE WHA'S THE BEST BOXER!
EH?

HUP!
WHAT . . ?

PERFECT! TAK' THAT!
OOYAH!
BRILLIANT!

OOR HERO!
YE HAD US WORRIED FOR A MEENIT!

THE CHAMP!

Sweets

Well fancy that —

A fleein' mat!

HMM! I WONDER . . .
ALI AND THE FLYING ARPET

A TOWEL FOR A TURBAN . . .

. . . MY AULD PENNY WHISTLE . . .

. . . AND I'M A' SET TAE MAK' MA'S LOBBY RUNNER FLY!
TOOTLE-ROOTLE!

ACH! MY CARPET WILL NEVER FLY . . .

. . . WI' A BUS QUEUE ON IT!

GERRAFF! FIND YER AIN MAGIC CARPET!
YIKES!
YERK!

DOWN THE STREET—
I'LL TRY AGAIN!

BUT—
GOOD MORNING, MODOM. I REPRESENT I.C. STOOR, CARPET CLEANERS INCORPORATED. MAY I DEMONSTRATE OUR LATEST MODEL . . .
OH, AYE . . ?

FIRST, SOME SOOT ON YOUR CARPET . . .
GRR!

IT'S NO' HER CARPET — IT'S MINE! AND YE CAN KEEP YER SOOT!
COUGH!

IT'S NAE GUID! I'LL NEVER FLY!

OH, NO?
THAT'S RIGHT, MISSUS. A WEE LADDIE, IN DUNGAREES!
OH-OH!

WI' MAGIC CARPET WULLIE THOUGHT HE'D ZOOM ACROSS THE SKY.
ALAS, HIS PLANS A' CAME TAE NAUGHT—
BUT JINGS, JIST SEE HIM FLY!
TIME TAE GO!

NO' IN —GONE AWA'

Wullie's feelin' crabbit —

Dressed up like a rabbit.

BOYSOBOYS! I'M GOIN' TAE ENTER FOR THAT!
WE'VE ALREADY GOT OOR FANCY COSTUMES!
EASTER FANCY DRESS PARADE COMPETITION FIRST PRIZE GIANT EASTER EGG

ANE O' US IS BOUND TAE WIN!
AYE!

FANCY DRESS SHOP
YE'RE WASTIN' YER TIME!

SORRY, WULLIE. I'VE ONLY ONE COSTUME LEFT!

LATER—
HO-HO! WID YE TAK' A LOOK AT THAT!
AW!
WHIT A SICHT!

WHIT A BONNY EASTER BUNNY!
ISN'T HE SWEET!

WHA'S A PWETTY WEE WABBIT, THEN?

HELP YERSEL' TAE A CARROT, RABBIT!
HUMPH!
FRESH VEG

BLEEZIN'!
IS THAT YER MA'S POWDER PUFF YOU'VE BORROWED?

FINALLY—
HMM . . . A PIRATE, COWBOY, ACE OF CLUBS . . .

AND I SUPPOSE YOU'RE AN EASTER BUNNY . . .?
NAW! I'M A . . .

HOT . . .

CROSS . . .

BUN!
HO-HO! GREAT IDEA, WULLIE. YOU WIN FIRST PRIZE!

THAT PIT THEIR GAS AT A PEEP!

Hubble bubble —

Wull's in trouble!

IT'S WASHDAY! SMASHIN'!
WHAUR'S MY WASHIN' POWDER?

EH?

WULLIE! BRING BACK MY WASHIN' POWDER, YE WEE MONKEY!
VOOM
WASHING POWDER

LATER—
RIGHT, I'LL GET THIS LOT PEGGED OUT!

BUT—
EEK! WHAUR'S MY WASHING LINE?

WULLIE! BRING THAT LINE BACK AT ONCE!

THAT'S IT! I'LL JIST GET THE POLE.

BUT—
IT'S GONE!

AND WONDER WULLIE PREPARES TO BREAK ANITHER WORLD RECORD HIGH JUMP.
3

AHEM!
SNAP!
SPLAT!
OOYAH!

AH, WEEL, YE'VE TRIED MY WASHING POWDER, MY WASHING LINE, MY WASHING POLE . . .
3

YE'VE JIST ONE MAIR THING TAE TRY . . .

THE SINK!
HMPH!

I HATE WASH DAYS!

The daft skite —

Canna flee a kite!

'LO, A'BODY!

HI, ECK! GOT YERSEL' A KITE, EH?
AYE, BUT I CANNA GET IT TAE FLY!

YE'VE GOT TAE RUN WI' IT, ECK! LIKE THIS! SEE?
AYE . . .

BUT—
OOYAH! WHA LEFT THAT TREE THERE?
OUCH
DAFT SKITE!

I'LL TOW IT IN THE OPPOSITE DIRECTION — NAE TREES THERE!

NO, JIST THE BOATIN' POND!
AW, CRIVVENS!
SQUELCH!

RIGHT, THIS TIME I'LL LOOK WHAUR I'M GOIN'! WHEN I SHOUT "GO!" YOU LET THE KITE GO!
OKAY!

GO!

I WONDER HOW IT'S GOIN'?

WATCH!
OH, HAROLD!
OH, DAPHNE!

OH, JINGS!
EEK!
MY WIG!

WELL DONE, WULLIE— YE'VE REALLY GOT IT FLYIN' NOO!

A' YE NEEDED WIS A BIT O' SPEED!
COME BACK!
NAE FEARS!

PHEW! I'M GIEIN' UP KITE FLYIN'!

See Wullie's slick picnic trick!

IT'S A SMASHIN' DAY, MA! I'M GONNA TAK' A PICNIC OOT TAE THE COUNTRY!
FINE! I'LL MAK' YE SOME TASTY SANDWICHES!

OCH, DINNA BOTHER! I'LL JUST TAK' THESE AULD CAKES YE WERE GONNA THROW OOT TAE THE BIRDS!
EH?
BREAD

AN' THIS LEMONADE THAT'S BEEN FLAT SINCE LAST WEEK WILL DAE FINE!
B-BUT . . .

SOON—
FAIRLEY'S FARM IS A GREAT PLACE TAE GO FOR A PICNIC!

NOW, LET'S SEE . . . THINK I'LL HAVE A DRINK O' LEMONADE FIRST!

CRIVVENS!

TIME TAE GO!
AHEM!

MADE IT — BUT THAT'S MY LEMONADE GONE!

BUT I'VE STILL GOT THE GRUB!

HELP!

NA, NA! AWA' YE GO! YE'RE NO' GETTIN' ANY MAIR!

AW, NO!

STOP! WAIT! LEAVE MY PICNIC ALONE!
HMM!

PUIR WULLIE! RUINED YOUR PICNIC, HAVE THEY? NEVER MIND! COME AWA' IN AND I'LL MAK' IT UP TAE YE WI' ONE O' MY SPECIAL FARMHOOSE TEAS!

I, ER, SEEM TAE REMEMBER THE SAME THING HAPPENIN' TAE YE LAST YEAR AS WELL!
INNOCENCE!
DID IT? AYE, MAYBE YE'RE RIGHT!

LIKE I SAID, FAIRLEY'S FARM IS A GREAT PLACE TAE GO FOR A PICNIC!

Ding dong dell —

Wullie's got a bell!

HE'S AWA' ON THE PROWL . . .

LOOK WHIT I'VE FOUND . . . A BIKE BELL! A' I NEED NOW IS A FRAME AND TWA WHEELS AND I'M AWA'!
BRRRING!
DUMP

HEY! YOU! I'M ON NIGHTSHIFT, AND I CANNA GET ONY SLEEP WI' YOU MAKIN' THAT DIN!

GERROOT O' HERE!
CHUCKLE!

Y. EAST. BAKER
IT'S A BRAW BELL!
EEK!
BBBBRING!

YE WEE DEIL! I THOUGHT THAT WIS A BIKE COMIN' UP AHENT O' ME!
CHORTLE!

I'M HAEIN' RARE FUN WI' THIS!
BBBBRING!

HELLO, HELLO? HELLO . . .

GRR! I THOUGHT THAT WAS THE PHONE RINGING!
BBBBRING . . .

LATER . . .
HULLO, HULLO! I HEAR YOU'RE A DAB HAND AT THE RINGING, WULLIE . . .
ER, WELL, AYE . . .

THEN MRS MACKAY AT THE TEA SHOPPE IS LOOKING FOR THE LIKES O' YOU. AWA' OWER AN' GIE HER A HAND!
EH? GREAT!

A TEA SHOP! CAKES AN' SCONES AN' LEMONADE! BOYSOBOYS!
OPEN

I HEAR YE'RE LOOKIN' FOR A CHAMPION RINGER, MRS MACKAY?
AYE! COME AWA' IN!

BUT . . .
MY WASHIN' MACHINE'S BROKEN DOON, WULLIE, AND I'VE A' THAE DISH TOWELS TAE WRING OOT!
HUMPH!

IT'S A'RIGHT! SHE GAVE ME A BRAW TUCK-IN WHEN THE JOB WIS DONE!

It's every laddie's dream —

To play for his local team!

HE'S AWA TAE WATCH THE YOUTH CLUB FITBA TEAM . . .

OH, BOY, I'M LOOKIN' FORWARD TAE WATCHIN' THIS MATCH.

ANE O' THESE DAYS, I'LL GET A GEMME WI' THE BIG LADS!

FOUL!

AN' WHIT ARE YE SUPPOSED TAE BE?
A FITBA SUPPORTER!

THEN WALK TAE THE GEMME PROPERLY!
AYE, RIGHT YOU ARE!

IT'S GONNA BE A GREAT GEMME. FOLLOW, FOLLOW . . .
TAXI

WANT A TAXI, SON?
EH? GULP! ER, NO!
TAXI

THEN WHIT WERE YE WAVIN' FOR?
I'M A FITBA SUPPORTER!

I'LL TAK' A SHORTCUT TAE THE PITCH!

CRIVVENS! WHIT A FRICHT!
SORRY!

YE'RE A WEE MENACE!
I'M NO'. I'M A FITBA SUPPORTER!

I'M JIST IN TIME. THEY'VE STARTED!

WULLIE! THE VERY LAD! LEND A HAND!

HEY! LOOK AT THAT, LADS!

THAT'S WHIT YE CA' A REAL FITBA SUPPORTER!
AYE. HE'S SUPPORTIN' A' THAE FITBAS!

HMPH! I HARDLY SAW THE GEMME!

Wull braks a' the rules —

Wi his braw new set o' tools!

BOYSOBOYS! A TOOL SET FRAE UNCLE TAM!
JUNIOR JOINER
TO WULLIE FROM UNCLE TAM

I'LL SEE IF THE DRILL'S SHARP!

AHEM!
DRRRR

HOWL!
PRANG!

HERE! TAK' THIS BIT O' WOOD AND AWA' AN' PLAY WI' YER TOOLKIT SOMEWHERE ELSE!
ER — YES, PA! SORRY!

SO —
I'LL SEE IF THE SAW WORKS!
ZZZZZZ!

IT DOES!
OH, NO!

BETTER NAIL IT TOGETHER AGAIN!
HMM!

HEY, WULLIE — HOW WID YE LIKE TO MAK' A WOODEN BOX? I'VE BROUGHT YE THE WOOD!
EH? GREAT!

THAT'S THE IDEA!
ZZZZZ!

NOW TAE NAIL IT TOGETHER.
AYE, MAK' IT GOOD AND STRONG!

VERY GOOD! A BRAW TOOL BOX . . .

. . . WI' A BIG PADLOCK!
CLICK!

AND I'LL KEEP THE KEY! IT'S SAFER THAT WAY!
GASP!

HUMPH! WHIT I NEED NOW IS A JUNIOR LOCK - PICKING OUTFIT!

Oh, my gosh! —

Wullie's walkin' posh!

GOOD—NAEBODY ABOOT!
WULLIE'S Hoose

NAEBODY'S SEEN ME SO FAR!
SLUNK
LITTER
SLUNK
SLUNK

SOON—
MISS NICELY'S MODELLING AGENCY AND POSTURE SCHOOL
THIS IS THE PLACE!

INSIDE—
ER . . . CAN YOU TEACH ME HOW TO WALK PROPERLY?
HO-HO! YES, YOUNG MAN!

COPY CATHERINE!
EASY!

BUT—
OOYAH!
THUD!

ER—TRY A LIGHTER BOOK!

LATER—
PERFECT, WILLIAM!
SMASHIN'!

BUT—
MISS NICELY'S MODELLING AGENCY AND POSTURE SCHOOL
HAW-HAW! WID YE LOOK AT HIM!
CRIVVENS!
GULP!

HAR-HAR! WHA'S A WEE CISSY THEN!
ARE YE GOING TAE BE A FASHION MODEL?

NO! I'M GOING TAE WORK IN HERE!
EH?

ARE YE SURE YE CAN HELP ME, WULLIE?
AYE! NAE BOTHER!
S. CONE BAKER
FLOUR

AND—
SO THAT'S WHIT IT WIS A' FOR!

HO-HO! I DIDNA DRAP A SINGLE CAKE A' DAY!
CAKES

They work real hard —

for a sma' reward!

HE'S AWA' WI THE LADS.

THANKS FOR YER HELP, LADS!
NAE BOTHER! WE ENJOYED DIGGIN' YER GAIRDEN, GRANPAW! PECH.
PANT!
SHEESH!
ECK

I'D LIKE TAE GIE YE A WEE REWARD.
OCH, YE SHOULDNA BOTHER!
AHEM!

HERE! SHARE IT AMONG YE!
OH . . . ER . . . TA!
HUH!
GROAN!

ONE BAR O' CHOCOLATE!
ONE WEE BAR O' CHOCOLATE.
CHUCKLE!
WE WIDNAE GET FOWER BITES OOT O' IT!

THERE'S ONLY ONE THING WE CAN DAE, LADS. WE'LL HAE A CONTEST, AND THE WINNER GETS THE BAR TAE HIMSEL!
GREAT! BUT WHIT KIND O' CONTEST?

WE'LL HAE A HOPPIN' RACE TAE THE END O' THE STREET!
SMASHIN'! ONE . . . TWO . . . THREE . . . GO!

I'M WINNIN'!
WHIT'S THIS?
HOP!
HOP!
HOP!
HOP!
HOP!
HOP!

MAK' A FOOL O' ME, WID YE!
LOOK OOT!
RUN!
SHEESH!

THAT WIS A FLOP! WE'LL HAE A WHISTLIN' CONTEST. THE LOUDEST WHISTLER WINS!
THAT'S BETTER!
HOP!
HOP!

SILENT BLAW!
SHEEEEEE!
WHEEEEE!
PEEEEP!

WHIT A DIN! I'LL SOON PIT A STOP TAE THAT!
NOTHING!
WHEEEEE!
PEEEEEEP!
BLAW!

LET'S HAE SOME PEACE DOON THERE!
YIKES!
LOOK OOT!
HELP!
GLUB!

PUIR WULLIE! HE'S DROOKIT!
LET'S GIE HIM THE CHOCOLATE!
THANKS, LADS!

CRIVVENS! LOOK! A POUND NOTE — UNDER THE WRAPPIN'!
YIPPEE! SWEETIES FOR A'BODY!

SEE YON GRANPAW BROON? HE'S AN AFFY JOKER!

There's a moose loose in Wullie's hoose!

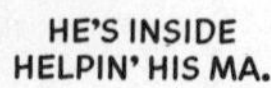
HE'S INSIDE
HELPIN' HIS MA.

CAN I GIE THIS TAE JEEMY, MA?
AYE.

JEEMY LIKES A WEE BIT O' CHEESE.

BUT—
HE'S GONE! HE'S GOT OOT O' HIS CAGE!

OUTSIDE—
JEEMY! SPEAK TAE ME! WHAUR ARE YE?

THAT'S HIM!
SQUEAK!

ACH! IT'S JIST MURDOCH'S SQUEAKY BIKE!
SQUEAK!

IT'S TIME YE GOT RID O' THAT AULD BIKE!
SQUEAK!

NEXT—
THAT'S HIM THIS TIME!
SQUEAK!

BUT—
ACH, IT'S JIST MRS WULSON'S WEE BAIRN WI' A SQUEAKY TOY!
SQUEAK!

I'LL GET HIM THIS TIME!
SQUEAK!

BUT—
OOH, THAE NEW BOOTS ARE GIEN ME GYP!
HMPH!
HIRPLE!
SQUEAK!

JEEMY'S GONE FOR GUID!

SQUEAK!
THAT'S NO' HIM! IT'S OWER LOUD!

BUT—
SQUEAL!
WULLIE!
SQUEAK!

TAK' THAT MOOSE O' YOURS OOT O' HERE THIS INSTANT! HE'S EFTER OOR CHEESE SANDWICHES!
JEEMY!
SQUEAK!
SQUEAL!

WE'RE BAITH IN DISGRACE!

The hammock is real comfy —

But it maks Wullie grumphy!

P.C. MURDOCH
HO-HO-HO!

IT'S A BRAW DAY!

HERE, WULLIE, IS THIS AULD HAMMOCK ANY GUID TAE YE?
A HAMMOCK! SMASHIN'!

NO' BAD, EH!

BUT—
ACH!

THIS'LL WORK!

BUT—
JINGS!

THIS LAMP-POST WINNA MOVE!

AAH! PERFECT!

THEN—
I'LL GET MY GRASS TIDIED UP NOW THAT I'VE HAD MY SCYTHE SHARPENED.

EH?

GRR!

WHAT? GIVIN' UP, WULLIE?
NO WAY!

I SHOULD HAVE THOUGHT O' THIS BEFORE.

THAT'S MAIR LIKE IT!

HE'S FAST ASLEEP!
SNORE

See Wullie scoot —

Doon the slippery chute!

IT'S ME FOR THE SWIMMIN' POOL TODAY!

AND SO—
HI, WULLIE!

HAVE YE BEEN DOON THE NEW SLIDE YET, WULLIE? IT'S REALLY SOMETHIN'!
EH? NO, ER, I HAVENAE BEEN DOON IT YET!

AWA', YE COWARD!
I BET YE'RE SCARED!

SCARED? ME? NEVER!

COME ON, THEN, FEARTIE!
NO! NO! NO' YET!

MOVE!
YE ARE FEART!

HANG ON!
HMPH!

AFTER YOU, MADAM!
CRIVVENS!

UP YE GO, YOU WERE HERE FIRST!
NOT AT ALL — OFF YE GO!
JINGS, I NEVER THOUGHT HE'D BE SO SCARED!
ME NEITHER!

JUST THEN—
OOT O' MY WAY, SHRIMPS!

SHRIMP? IT'S MY TURN!

COOL AFF IN THERE!

NOW I'M GOIN' DOON THE CHUTE!

THAT'S HIM! HE'S THE ONE!

CONGRATULATIONS! YOU'RE OUR ONE MILLIONTH USER OF THE WATER SLIDE!
SO THAT'S WHY HE WIS WAITIN' ABOOT!
I KEN! I'VE BEEN KEEPIN' TABS ON THAT BOARD!

HERE'S YOUR PRIZE — A HUNDRED TICKETS FOR THE CHUTE!

IT'S A' RIGHT! SHARED THEM OOT WI' BOB AND SOAPY!

Oh whit a shame —

Wullie's leavin' hame!

WULLIE!

TIDY THIS ROOM UP — AT ONCE! IT'S LIKE A RUBBISH TIP!

LATER—
FINISHED! THANK GUIDNESS!

BUT—
WULLIE!

HOW MANY TIMES HAVE I TELT YE TAE STOP PLAYIN' FITBA NEAR MY GREENHOOSE? IT'LL COST YE FOWER WEEKS' POCKET MONEY TAE PAY FOR NEW GLASS!

I'VE HAD ENOUGH. I'M LEAVIN' HAME . . .
COLA

. . . AND I'M NEVER COMIN' BACK!
WULLIE'S HOOSE

PA AND MA WILL NEVER SEE ME AGAIN. THEY'LL MISS ME WHEN I'VE GONE . . .
LONDON 400 MILES

I SUPPOSE THEY'LL HAE A SEARCH PARTY OOT BY NOW.

I BET PA'S TRIED A' MY HIDIEHOLES BY NOW . . .

AND MA WILL BE UP TAE NINETY-NINE.

IT'S NAE GUID. I CANNA HAE THEM UPSET LIKE THIS . . .

I'LL JIST HAE TAE GO HAME AND CHEER THEM UP.

PA! MA! IT'S ME — YER LADDIE! I'M . . . !

BUT—
. . . ACH!

HMPH!

Murdoch's pipe is auld an' reekie —

While Oor Wullie's young and cheeky.

HE'S AWA'
ON A PLOY!

NAEBODY ABOOT! FINE! I'LL HAE A WEE SMOKE . . .

BUT —
GUID! HE HASNAE SEEN ME!

AHEM!
EH? WHISSAT?

YE WEE DE'IL! YE FRIGHTENED THE LIFE OOT O' ME! I THOUGHT THAT WIS THE INSPECTOR!
HMPH!

LATER —
AYE, AYE! THAT LOOKS LIKE THE SMOKE FRAE MURDOCH'S PIPE. I'LL TRY AGAIN!

OOPS! SILLY ME! MY BALL'S GONE OWER THE WALL!

BUT —
IS THIS YOUR BA', SONNY? IT LANDED ON OOR BARBECUE!
AW, NO!

THEN —
CRIVVENS! BASHER McTURK!
WULLIE! I HEAR YE'RE BOASTIN' YE COULD BASH ME WI' ONE ARM TIED AHENT YER BACK!

HANG ABOOT AND I'LL GO AND GET THE STRING! HO-HO!
PUFF! PUFF!
STOP!

BUT —
OOOF!
CRIVVENS! WHIT WIS THAT?

IT WIS ME — P.C. MURDOCH! AND YE'VE JIST BROKEN MY PIPE!
I HAVE? THANK GUIDNESS!

I'VE BEEN TRYIN' TAE DAE THAT A' DAY — SO THAT I COULD GIE YE THIS ANE! HAPPY BIRTHDAY, MR MURDOCH!
FOR ME? WELL, WELL! THANKS, WULLIE!

ACH, HE'S A BRAW BOBBY!

Oor lad feels richt silly —

They'll be ca'in him Pussy Wullie!

I FANCY A PUDDIN' SUPPER!

GREAT! I'VE GOT JIST ENOUGH!

PUDDIN' SUPPER, HERE I COME!
WULLIE'S HOOSE

BUT—
CRIVVENS!

MIND WHAUR YE'RE GOIN', TIDDLES!
MIAOW!
MIAOW!

GERRAFF, YE GREAT SAFT THING!

I HAVENA GOT TIME TAE PLAY JIST NOW. I'M AWA' FOR A PUDDIN' SUPPER!

AYE, A BIG, WHITE, MEALY PUDDIN', WI' LOADS O' VINEGAR!

HELP! WHISSAT?

YOU AGAIN! WHAT A FRICHT! THAT'S ENOUGH, TIDDLES! YE'RE KEEPIN' ME FRAE MY PUDDIN' SUPPER!

FISH AND CHIPS
BOYSOBOYS! STAND BY, PUDDIN' SUPPER! HERE COMES WULLIE!

YIKES! YOU AGAIN! YOU'LL MAK' ME FA' AGAIN, IF YOU'RE NO' CAREFUL!

A PUDDIN' SUPPER, TONY, WI' LASHIN'S O' . . . ACH!
MIAOW!

I GIE UP! MAK' THAT A FISH SUPPER, PLEASE, IN TWA BITS, ANE WI' VINEGAR AND ANE WITHOOT . . !
MIAOW!

I'M OWER SAFT, THAT'S MY TROUBLE!

See Wullie beam with pleasure —

He's dug up some buried treasure.

I THINK I'LL AWA' AN' SEE THE LADS!

BUT—
OH, NO, YE WINNA! YE PROMISED TAE DIG AULD TAM GREEN'S GAIRDEN!
ACH!

HUMPH!

THEN—
JINGS! TENPENCE!

MEBBE I'VE STRUCK A TREASURE HOARD!

YIPPEE! ANITHER ANE!

ANITHER WHAT?
ANITHER TENPENCE! THAT'S THE SECOND ANE I'VE FOUND. COME AN' HELP!

AND SOON—
I'VE FOUND ANE!

HAND IT OWER! I'LL BE THE TREASURER!

SOON—
I'VE FOUND ANE AS WELL!
I'LL TAK' IT FOR NOW!

LATER—
WAHEY! I'VE GOT ANE!
I'LL PIT IT WI' THE REST!

SOON—
THAT'S THE GAIRDEN DUG! COUNT UP OOR MONEY, WULLIE!

OH, ER— JINGS!

THERE'S A HOLE IN MY POOCH! WE'VE BEEN FINDIN' THE SAME COIN A' THE TIME!
GRR!

HAUD ON, LADS! YE'VE MADE A BRAW JOB O' MY GAIRDEN!

HERE, WULLIE— TREAT YER PALS TAE AN ICE-CREAM EACH!
SMASHIN'!
BRAW!

GUID AULD TAM! SLURP!

Boysoboys! Whit a lot o' noise!

JINGS! IT'S GRAND LISTENIN' TAE THE TRANNY ON A NICE DAY!
BLARE

HOI! TURN THAT DIN DOON! YE'RE DISTURBIN' THE PEACE!
SORRY, P.C. MURDOCH.

ONY MORE O' IT, AND I'LL HAE TAE BOOK YE!

THIS'LL NO' DISTURB ONYBODY. I CAN HAE IT AS LOUD AS I LIKE!

LATER—
OH GREAT, MY FAVOURITE SONG'S COMIN' ON!

WHEN WILL I, WILL I BE FAMOUS . . !

EH!
TAP

YE WEE DEIL! YE WERE DAEIN' IT AGAIN!
DINNAE BE TOO HARD ON ME, MR MURDOCH!

I MAY CONSIDER REPORTING THIS MATTER TO MY SERGEANT! WELL, MAYBE TOMORROW, NOW I'M OFF DUTY.

OFF DUTY, EH? HE AYE HAS A BATH WHEN HE'S FINISHED WORK. I'LL PUT HIS GAS AT A PEEP!

AND SO—
NOW, WHAT'S HIS FAVOURITE SCOTTISH SONG AGAIN?

LISTEN TAE THAT! MY FAVOURITE! BRINGS TEARS TO MY EYES!

SPEED, BONNY BOAT, LIKE A BIRD ON THE WING . . .

. . . OVER THE SEA TAE SKYE!
ER, SERGEANT, I FEEL IT MY DUTY TO POINT OUT TO YOU THAT WE APPEAR TO HAVE A LAW BREAKER ABOUT HERE!

A CONSTABLE OF MINE, DISTURBING THE PEACE! THIS'LL NO' DO, MURDOCH!

I NEVER HEARD ANOTHER WORD ABOOT IT!

A bold buccaneer in pirate gear!

THIS IS A BRAW BOOK ABOOT PIRATES!
PIRATES

AND SO —
AVAST, YE LANDLUBBERS!

BUT —
TRAVEL AGENT
BEAT IT! YE'RE MAKIN' THE PLACE LOOK UNTIDY.
HMPH!
BOOLA BOOLA

THEN —
I SEE NO SHIPS!

YE'LL SEE THE FLAT O' MY HAND IF YE DINNA GET OOT O' THAT BARREL!
ACH!

LONG JOHN SILVER GOES IN SEARCH OF TREASURE!

AHA!

N & SONS
AVAST, THERE!

EH? WHISSAT?

HO-HO! PIECES OF EIGHT!

YE WEE DEIL! YE DID THAT ON PURPOSE!

LONG JOHN SILVER RETURNS FROM HIS TRAVELS . . .

HELLO, THERE. I'VE BEEN HEARING ABOOT YER PIRATE PLOYS.

WELL, YE CAN WALK THAT PLANK . . .

. . . RIGHT OWER TAE TAM GREEN'S GAIRDEN. HE'S NEEDIN' A BIT O' WOOD TAE MEND HIS FENCE!
HMPH!

I'VE GONE RIGHT AFF PIRATES!

Wullie's far fae fit —

He keeps on gettin' hit.

HMM. I'VE GOT A BIT O' WORK TAE PUT IN!

HELLO, MA!
EH? OH, HELLO—

—JINGS, SORRY!
OOF!

AYE, I'LL NEED TAE WORK HARD!

THAT'S THE LOT DELIVERED. ON TAE THE NEXT HOOSE!
HMM!
MAIL

YUCK!
CRIVVENS! WHAT HAVE I HIT?
MAIL

SORRY ABOOT THAT, WULLIE!
NA, NA! IT WIS MY AIN FAULT. I'LL HAE TAE WORK HARDER!

GYMNASIUM
OH GOOD! I'M JIST IN TIME!

TAK' THAT, MAULER!

JINGS!
OOF!

ARE YE A'RIGHT, WULLIE?
WELL, NO' EXACTLY OKAY — BUT I'M GETTIN' BETTER!

OUTSIDE AGAIN—
OSOKLEEN LAUNDRY
ONE MORE GO!

OOPS! SORRY, WULLIE. I DIDNA SEE YE THERE. ARE YE A'RIGHT?
WHUMP!
OOF!

AYE, JUST CHAMPION!

TOWN SPORTS
NOW FOR THE BIG TEST!

AND SO—
CRIVVENS! NAEBODY'S KNOCKED HIM AFF A' DAY!
WULLIE'S SURE TAE BE THE CHAMPION!

AYE, IT PAYS TAE PRACTISE!

There's aye a catch —

At the fitba match.

HI, WULLIE!
SORRY, ECK — CANNA STOP, I'M IN A HURRY!

THEN —
WULLIE — YOU'VE FORGOTTEN THIS!
OH! THROW IT — I'LL BE LATE!

CATCH!
CRIVVENS!

NOT ANYTHING BREAKABLE, I HOPE!
THUD!

NO . . . I'M . . .

OH, WULLIE! HOLD THIS TILL I UNLOCK MY CAR!
OKAY, MRS WILSON!

BUT —
OH, WULLIE!
OOPS!
THUD!
BONK

SORRY — GOT TO GO. I'M LATE!
HMPH!

SUDDENLY —
WULLIE! QUICK! STOP FIDO!
EH?

ACH!

BUTTERFINGERS! THANKS FOR NOTHING, WULLIE!
HO-HO!

SOON —
YE STILL HAVENAE TELT ME WHIT A' THE RUSH IS FOR?

PARKY FOOTBALL CLUB
I'VE GOT A TRIAL IN GOAL FOR THE PARKY ROVERS.
GOAL? HA-HA-HA! AFTER A' THE DROPS YOU'VE HAD TODAY! CHORTLE!

WE LOST 8-1. ACH, I DIDN'T WANT TO PLAY FOR THEM ANYWAY!

Wull's sheddie flair —

Will still be bare!

HE'S AWA' ON THE PROWL . . .

HERE, WULLIE! COULD YOU USE THIS END O' LINO?
SMASHIN'! JIST THE THING FOR MY SHED FLAIR!

BACK HOME—
I'LL LAY IT OOT ON THE GRASS AND MEASURE IT!

BUT—
AHEM!

ACH!

THAT BRICK'LL KEEP THE END FLAT.

HI, ECK! HAND ME SOMETHIN' TAE PIN THIS END DOON!

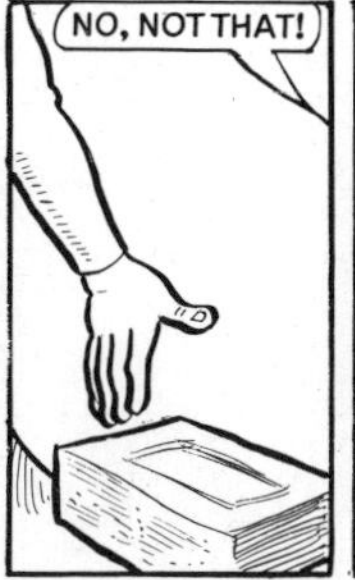
NO, NOT THAT!

YE DAFT SKITE! THAT WIS KEEPIN' THE ITHER END FLAT!

RIGHT, STAND ON THAT END WHILE I ROLL IT FLAT AGAIN. AND DINNA MOVE!

BUT—
GULP! BASHER BRIGGS! AND HE'S PROMISED TAE THUMP ME!

I'M AFF!
ACH!
ZIP!

NEXT —
SIT!

OH-OH!
A CAT!

WOOF!
JINGS!

FINALLY—
THAT'S IT WEIGHED DOON WI' THE BRICK AND MY BUCKET! NOW TAE GET MA'S TAPE MEASURE.
WHIRRR!
WHISSAT NOISE?

IT'S PA AND HIS MOWER!
HO-HUM!

HELP!
JINGS! SORRY, WULLIE. I DIDNA SEE THAT LYIN' THERE!

HMPH!

Oor cheeky chap —

enjoys a scrap!

JINGS, THAT SUN OOTSIDE IS REALLY BRIGHT!

WHAUR'S THE SAUCE?
FUMBLE

JIST A MEENIT!

A BLACK EYE, EH? I THOUGHT AS MUCH! NAE TEA FOR YOU, MY LAD!
ACH!

NEXT DAY —
BASHER McKAY! I OWE HIM A BATTERIN' FOR NO' GETTIN' MY TEA YESTERDAY!

TAK' THAT, YE BIG PUDDEN!
OOYAH!

LATER —
HELLO, HELLO, HELLO! HAVE YE HEARD THE JOKE ABOOT THE MANNIE WHO SHOT THE RAPIDS? HE USED A WATER PISTOL!

I THOUGHT SO! A JEELY NOSE UNDER THAT FALSE NOSE! NAE TEA AGAIN!
AW!

NEXT DAY —
RIGHT, YE BIG LUMP O' LARD! I'VE BEEN DONE OOT O' TWA TEAS THANKS TAE YOU!

IT'S TIME YE WERE CUT DOON TAE SIZE!

NO' BAD, EH? NO' A MARK ON HIM!

MY! NAE BLACK EYE, AND NAE JEELY NOSE. FOR ONCE YE HAVENA BEEN FECHTIN'! I'VE BEEN AFFY HARD ON YE THIS WEEK. FOR A TREAT I'LL TAK' YE TAE THE PICTURES!

HOORAY!

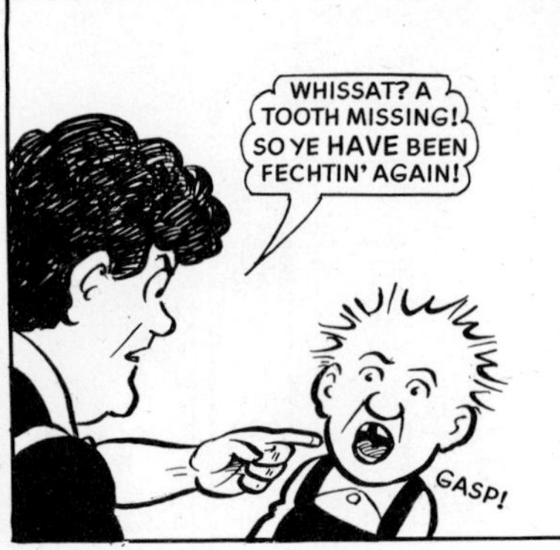
WHISSAT? A TOOTH MISSING! SO YE HAVE BEEN FECHTIN' AGAIN!
GASP!

WHY CAN I NO' KEEP MY MOOTH SHUT!

Wullie's seek — playin' hide an' squeak!

HE'S AWA' PLAYIN' HIDE-AN'-SEEK . . .

. . . 99 . . . 100 . . .

COMIN', READY OR NO'!

BET YE HE'S IN MY SHED!

JINGS, WULLIE! YE'VE CAUGHT ME! I SNEAKED IN TAE READ SOME O' YER COMIC COLLECTION!
HUH!

JIST DINNA DAMAGE THEM! I'LL SEE YE WHEN I'VE FINISHED PLAYIN'!

HE'S NO' HIDIN' IN THE SHED. WONDER IF THIS IS HIM MAKIN' RUSTLIN' NOISES UP IN THE TREE?
RUSTLE!
RUSTLE!

SPOTTED YE!

CRIVVENS! IT'S NO HIM — IT'S BOB!
JINGS! I THOUGHT THAT WAS A SAFE PLACE TAE EAT MY CHOCOLATES!

I SUPPOSE YE WANT ONE?
NAE TIME! I'M PLAYIN' HIDE AN' SEEK!
CHOCS

NOISES IN MY BEDROOM! THAT HAS TAE BE HIM!
WULLIE'S ROOM

FOUND YE — CRIVVENS — NO, I HAVENAE!
EH?

DINNA EVER GIE ME A FRIGHT LIKE THAT AGAIN!
SORRY, MA! I'M PLAYIN' HIDE-AN'-SEEK!

I GIE UP! HE'S WON AGAIN!

AW, CRIVVENS! I SHOULD HAVE THOUGHT O' THERE!
SCRATCH!
SCRATCH

JEEMIE BEATS ME EVERY TIME WE PLAY HIDE-AN'-SEEK!

Wull's got a dug —

like a fireside rug!

I THINK I'LL TAK' A STROLL THROUGH THE TOON!

OH, WULLIE, WILL YE TAK' OOR NEW DUG, TIGER, A WALK?
TIGER, EH? AYE, RIGHT!

BUT—
CA' THAT A DUG? IT'S MAIR LIKE A DOORMAT!

IS WULLIE TAKING LITTLE DIDDUMS WALKIES, THEN?
HUMPH!

JIST LOOK AT STUCK-UP JESSIE GREEN WI' THAT AULD FUR ROOND HER NECK!

WHISPER—
AYE, WELL . . .

SMILE, PLEASE!
AHEM!

THANKS, WULLIE. THAT WINNA HALF PIT JESSIE GREEN'S GAS AT A PEEP!
TA VERY MUCH!

CARPETS
LATER—
HMM! I'LL TAK' THIS BIT. IT'LL MAK' A FINE . . .
CARPET CUT-OFFS FOR SALE

HO-HO!
EEK! IT'S ALIVE!
YAP!

YE WEE DEIL! YE DID THAT ON PURPOSE!

I'VE BEEN WAITING HALF AN OOR FOR A BUS AN' MY FEET ARE FREEZIN'!
BUS STOP

HOWZAT? A PORTABLE TOE-COSY!
AAH!

TA, WULLIE! AWA' AN' BUY YOURSELF SOME JOOB-JOOBS!

HO! HO! WE'LL GO OOT AGAIN THE MORN, TIGER!

Squeaks in his breeks!

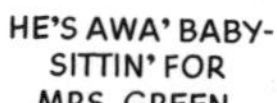
HE'S AWA' BABY-SITTIN' FOR MRS GREEN.

THANKS FOR KEEPIN' AN EYE ON TAMMY, WULLIE.
IT'S A PLEASURE!

JINGS, WHISSAT NOISE?
SQUEAK!

SQUEAK! SQUEAK! SQUEAK!
CRIVVENS!
IT'S TIME YE GOT RID O' THAT AULD BONE-SHAKER!

I'LL HAE A WEE SWING!

OH, NO! ANITHER SQUEAKER!
SQUEAK!

SQUEAK! SQUEAK!
YE'LL HAE TAE GET AFF! THAT THING DISNAE SOUND SAFE!

HMPH!
SQUEAK!

THANK GOODNESS I'M HAME! I'LL HAE A SEAT AND WATCH TELLY!

SQUEAK!
OH, NO! A SQUEAKY CHAIR NOW!

SQUEAK!
FIDGET
SQUEAK!
WRIGGLE
ACH, THIS IS NAE GUID. I'M GOIN' TAE BED!

WHIT A DAY . . .
HE AYE HANGS HIS BREEKS ON THE FLAIR!

NOTHIN' BUT SQUEAKS . . .

EH?
SQUEAK!

SO THAT'S WHAUR THE SQUEAKS WERE COMIN' FRAE — WEE TAMMY'S SQUEAKIN' EPHELANT! HE MUST HAVE SLIPPED IT INTAE MY HIP POCKET!
SQUEAK!

THERE'S NO' A SQUEAK OOT O' HIM NOW!
Z-Z-Z-Z!

Our helpful chum —

sweeps the lum!

THE CHIMNEY'S SMOKING AGAIN. I'LL HAE TAE GET THE SWEEP IN NEXT WEEK!

NEXT MORNING—
WE'LL BE BACK FRAE THE SHOPS IN HALF AN HOUR, WULLIE!
AYE, OKAY!

I CAN MAK' A FEW BOB IF I SWEEP THE CHIMNEY FOR MA AND SAVE HER GETTIN' THE SWEEP TAE DAE THE JOB!

I KEN WHAT YOU'RE THINKING . . !

THE LAST TIME I TRIED THIS, I SUCKED THE SOOT OOT O' THE LUM INTAE THE ROOM!
JINGS!

THIS TIME I'M GOIN' TAE BLAW THE SOOT AWA!
SUCK
BLOW

ACTION STATIONS!

WAHEY! NO' A SPECK O' SOOT!
WHINE

THAR SHE BLOWS!

THE DOOR BELL! THAT'LL BE MA AND PA BACK.
RING!

MA! PA! I'VE SWEPT THE LUM, AND THERE'S NO' A SINGLE SPECK O' . . .

CRIVVENS!

I'M IN THEIR BLACK BOOKS!

Wullie's fu' o' tricks —

as he wins the Olympics!

DID YE WATCH THE OLYMPICS ON TELLY?

RIGHT, I'VE MADE US THREE OLYMPIC MEDALS. WE'LL HAE A COMPETITION TAE SEE WHA WINS THEM!

I'LL TAK' YOU ON AT THE SACK RACE, ECK! NAE CHEATIN'! BAITH SACKS ARE THE SAME SIZE!

READY, STEADY, GO!

HELP! I CANNA SEE!
HO-HO! SERVES YE RICHT FOR BEING A WEE TITCHER!

RIGHT — THAT'S ME WON THE FIRST MEDAL! NOW, I'LL TAK' YOU ON AT THE OBSTACLE RACE, BOB!

GO!

HELP! I'M STUCK!
YE SHOULDNA BE SO FAT!

THAT'S TWA MEDALS TAE ME! YOU AN' ME WILL DAE THE EGG AND SPOON RACE, SOAPY!

WE'RE AFF!
AND SO'S MY EGG!

THREE GOLDS! THAT'LL DAE FOR NOW!
HMM . . .

WE'VE BEEN DIDDLED! HIS EGG'S STUCK ON WI' CHEWIN' GUM!

EFTER HIM, LADS!
YE'LL NO' CATCH ME ANYWAY — I'M THE BEST RUNNER!

BUT—
CRIVVENS! PUFF! PECH! THAE MEDALS ARE SOME WEIGHT! THEY'RE SLOWIN' ME DOON!

GRAB HIM!
OOF!

I'VE GONE RIGHT AFF MEDALS!

I spy a fly wee guy!

HE'S AWA' TAE THE PICTERS.

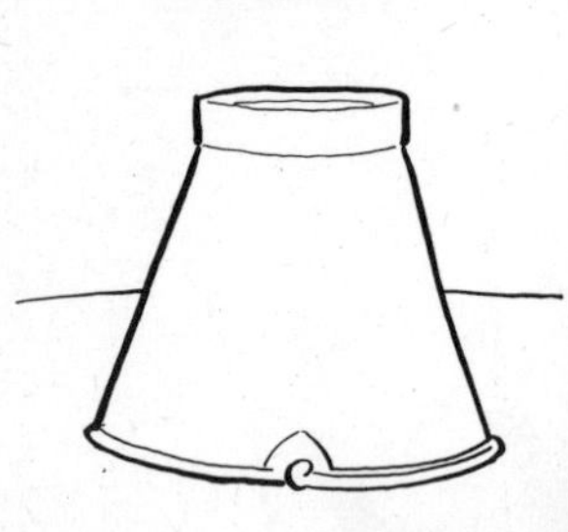

REX CINEMA
SPYHUNTER
SMASHIN' FILM . . .
AYE!

I KEN A LOT O' SPIES!
AWA'!

WELL, FOR A START, THERE'S THE UNDER-WATER SPY . . .

. . . JAMES POND!
HO-HO!

. . . THEN THERE'S THE CHINESE SPY . . .

PEKING TOM!

AND THERE'S THE SPY THAT NEVER GETS OOT O' BED . . .

HE'S AN UNDERCOVER AGENT!

YE'RE DAFT!
IZZATSO? COME ON, I'VE GOT AN APPOINTMENT WI' THE BEST O' THEM A'!

IN YE COME!
WULLIE'S HOOSE

LIKE I SAID, THIS IS THE BEST O' THEM A'!

MINCE SPY!
YE'RE AN AFFY LADDIE!

THAT WIS BRAW!

The big lad's lost today —

but Wullie knows the way.

HUH! HERE'S MRS WILSON'S NEPHEW. HE HASNA BEEN IN THE TOON FOR A WHILE!
HEY, YOU! YOU'RE WULLIE, AREN'T YE? THE YIN THAT'S SUPPOSED TAE KEN HIS WAY AROOND?

TAK' ME TAE MY AUNTY'S NEW HOOSE! AND NANE O' YER DODGY SHORT-CUTS ACROSS ROTTEN BRIDGES OR MARSHY GROUND LIKE LAST TIME I WIS HERE.
OH, ER, AYE, I MEAN, NO!

COME ON, WE'LL STICK TAE THE ORDINARY STREETS!
AYE, WE'D BETTER!

YE'D BETTER GO ON THE OOTSIDE. I WOULDNAE WANT WEE TAMMIE THERE TAE MESS UP YER GUID CLAES WI' HIS TREACLE SCONE!
SCHLOOP!

BUT —
OH, DEAR! I DIDNAE SEE THAT PUDDLE!
SHEESH!

HANG ON!

IF YE STAND RICHT HERE YE CAN SEE THE HOOSE WHAUR YER AUNT USED TAE BIDE!
HOOT!
I KEN WHAUR SHE USED TAE BIDE!

THAT WIS THE FACTORY HOOTER! DENNER TIME!
OOCH!
CLONK!
OOPS! HOW UNFORTUNATE!

SORRY ABOOT THAT! COME ON!

OH, DEAR — DID YE NO' REALISE YE'RE MEANT TAE MISS THAT GRAVEL?
EH?
CRUNCH! CRUNCH! CRUNCH!

IT'S AYE A MISTAKE TAE LET ROVER LET YE HEAR YE PASSIN'!
GRRR

HERE'S SOMEWHERE ELSE YE SHOULD BE QUIET.

EH? WHIT DID YE SAY THERE?
WHISSAT?

SPLOSH!
TCH! MR GREEN'S AFFY NOSEY!

AT LAST —
JOE! MY, YE'RE TWICE AS BIG AS LAST TIME!
AYE, AN' TWICE AS DUMB!

WHIT A LAUGH!

Wullie's bored o' it a' —

but he cannae outsmart Ma.

I'M BORED!

WULLIE! WHIT ARE YE DAEIN'?

WELL, YE SAID TAE "DRAW" THE CURTAINS!

SMARTIE! HERE, IF YE'VE NOTHIN' BETTER TAE DAE, PIT ON THE TABLECLOTH.

I'VE PIT IT ON, BUT I DINNA THINK IT SUITS ME!

YE'RE DRIVIN' ME DAFT WI' YER CRACKS! IF YE'VE NOTHIN' BETTER TAE DAE, AWA' OOT AN' STRETCH YER LEGS AFORE TEA TIME!

THAT LADDIE! HE'S AYE UP TAE SOMETHING!

SOON —
COOEE, MA! I'VE STRETCHED MY LEGS, AND I'M BACK!

EEK!

WELL, WHIT DAE YE THINK?
GASP!

IT'S A' RIGHT! I'VE GOT MY STILTS ON UNDER THAE FUNNY DUNGAREES!

AYE, I'M NO' HALF CLEVER . . .

CRACK!
OOYAH!

THAT'S THE BEST "CRACK" YOU'VE MADE A' DAY — AND NOW YE'VE GOT A BUMP O' KNOWLEDGE!

I CANNA STAND SMART ALEC GROWN-UPS!

Not a toot comes oot!

HE'S AWA' TAE
A JUMBLE SALE . . .

SCOUT HALL
JUMBLE SALE
GOT IT!

YE'LL NEVER GET A NOTE OOT O' THAT THING!
WE'LL SEE!

BUS STOP
I'LL MAK' A FORTUNE BUSKIN'!
HEY — MY CAP!

BUT —
SILENCE!
TELT YE!

BUS STOP
LIKE WE SAID, YE'LL NEVER GET A NOTE OOT O' IT!

THERE'S THE VERY MAN! MURDOCH'S GOT LOTS O' PUFF!

PLAY IT? AYE, OF COURSE I CAN PLAY IT. I WIS THE STAR TRUMPETER IN THE AUCHENTOGLE BRASS BAND . . .

BUT —
NOT A TOOT!

HMPH. YE'RE MEBBE BRAW AT BLAWIN' YER AIN TRUMPET, BUT YE'RE NAE GUID WI' THIS ANE!

GIE IT TAE ME. MY UNCLE HUGH WILL GET A NOTE OOT O' IT!

GARAGE
HIM? HE COULDNA BLAW THE SKIN AFF A RICE PUDDEN!

BUT —
AIR HOSE
AYE, HELP YERSEL, ECK!

HISS!
IT'S STILL NO' TOOTIN'!

WHISSAT?
PHUT!

WE'VE DONE IT! WE'VE GOT A NOTE OOT O' IT — A POUND NOTE! NAE WONDER IT WOULDNA PLAY!

THE JUMBLE SALE WIFIE SAID WE COULD KEEP THE MONEY!

Wham! Bam! Slam! —

That's the end o' big Tam.

HMM! THIS IS THE DAY I'M SUPPOSED TAE MEET BIG TAM!

I'LL NEED TAE HURRY! I CAN SEE BIG TAM WAITIN' AT THE END O' THE ROAD!

NO' SO FAST, YOU! I WANT A WORD WI' YE!

OOT O' MY WAY! I HAVENAE GOT TIME!

I'M COMIN', BIG TAM!

YOU'RE GOIN' NOWHERE! I'M GONNA BELT YE RIGHT ON THE CHIN —

IT'S ME THAT'LL DAE THE BELTIN'!

SORRY FOR THE HOLD-UP, TAM! I'M JUST COMIN'!

HEY, YOU! I SAW WHAT YE DID TAE MY PALS! I'LL TIE YE IN KNOTS FOR THAT!

YOU AN' WHA ELSE?

I'LL GIE YE A LESSON IN KNOT-TYING!

I'M HERE AT LAST, TAM! ARE YE READY FOR THAT FIGHT YE'VE BEEN EFTER?
ER, WELL —

ACH, YE'VE HAD A HARD ENOUGH TIME ALREADY! I'LL LET YOU AFF THIS TIME!
AW! WHIT A PITY!

THANKS, LADS! YE SAVED ME FROM A RIGHT THUMPIN'!
BOXING AND JUDO CLUB
NAE PROBLEM, WULLIE! IT WAS GUID FUN!

CLEVER, EH?

Wull's boomerang —

goes awfy wrang!

JINGS . . .

HEY, PA! YE CAN FLY MY MODEL GLIDER, IF YE LIKE!
NO, THANKS! I'M BUSY!

OCH, GO ON! RELAX FOR A MINUTE! YE WORK TOO HARD!

THERE! I'VE DONE IT! NOW CAN I GET BACK TAE WORK?
AYE, FAIR ENOUGH! I'LL GO AND GET IT . . .

BAD NEWS, PA! I THINK IT'S—

—HUH! NO, IT HASNAE!
HERE, WHAT'S THIS — AIRMAIL?
JINGS! SORRY, POSTIE!

HERE, PA! I'VE FORGOTTEN HOW TAE THROW THIS BOOMERANG UNCLE SID IN AUSTRALIA SENT ME!
WULLIE! YE'RE A PEST! I'M BUSY!

THERE! THAT'S HOW TAE THROW IT! NOW, AWA' YE GO!
AYE! RIGHT, PA! THANKS!

BAD NEWS, PA! I THINK IT'S—

—OUCH! ER, NO, IT HASNAE!

I WONDER IF YE'RE STILL AS GOOD? NA, PROBABLY NO' NOWADAYS!
GOOD AT WHAT —?

AT THROWING CHUCKIES! I MIND WHEN I WAS WEE, YE USED TAE BE ABLE TAE THROW THEM MILES IN THE AIR!
SEE HERE, YOU! EFTER THIS, NAE MAIR INTERRUPTIONS!

THERE YE ARE! I'VE STILL GOT THAT MAGIC FLICK O' THE WRIST!
AW, BRILLIANT, PA! I'LL NO' BOTHER YE AGAIN!

ER, I THINK YER CHUCKY HAS BROKEN A PANE IN YER GREENHOOSE!
THAT'S FUNNY! I DIDNAE HEAR GLASS BREAKIN'!

WELL! WOULD YE BELIEVE IT? NOT ONLY HAS IT BROKEN THE GLASS—

—IT'S TURNED INTAE A FITBA'!
OH, CRIVVENS! I FORGOT TAE REMOVE THE VITAL EVIDENCE!

A' THAT SCHEMIN' FOR NOTHIN'!

Wull's out of line at school — because he bent the rule!

HE'S AWA' TAE SCHOOL . . .
AHA! OOT WI' YER RULER, WILLIAM!
BAKER
READY . . . AIM . . .
. . . FIRE!
OOYAH

HO-HO! GOT YE THAT TIME, BOAB!
GRR!

BOYSOBOYS!

RAT-A-TAT-A-TAT

HEY! YOU! I'M TRYIN' TAE SLEEP!

COME ON, HAND OWER THAT CANDYFLOSS!
AYE-AYE!

TAK' THAT, BLACK KNIGHT!
OOF!

THANKS, WULLIE! HERE, PIT SOME O' THIS ON YER RULER!
MAMMY!

SMASHIN'!

SCHOOL
AH, WEEL, BETTER GET INTAE SCHOOL!

RIGHT, HAND IN YOUR HOMEWORK, BOYS!

WILLIAM! JUST LOOK AT THESE LINES YOU'VE DRAWN! DON'T YOU KNOW HOW TO USE A RULER?
EH?

DINNA TELL HER, FOLKS!

See Wullie folding —

that paper he's holding!

?

THIS IS A BRAW BOOK!
ORIGAMI

IT'S A' ABOOT FOLDIN' PAPER!

GIMME A SWEETIE, WULLIE! YE'LL NO'NEED A' THAT LOT!

HERE, TAK' THE LOT, BOB!
THANKS, WULLIE!

IT'S NO' A BAG AT A'! IT'S A SHEET O' FOLDED PAPER!

WATCH THIS ANE! IT'S REALLY COMPLICATED!

BOO!
WHAT'S THAT?

NOW, WHAT'S NEXT....?

HA! A TWA-HEIDED PUSSY CAT!
DAILY NEWS

AYE, THIS ORIGAMI'S RARE FUN!

WULLIE! WATCH WHERE YE'RE GOIN'!
BOOMF!

YE'LL NEED T' FOLD A' THAE PAPERS AGAIN!
DAILY NEWS

ACH, THAT'S ENOUGH O' THAT!
ORIGAMI

Here's Wullie's solution —

tae environmental pollution!

DAILY NEWS
DAILY NEWS
OZONE HOLE

IN SCHOOL-
....SO, REMEMBER, CHILDREN! OUR ENVIRONMENT IS IN DANGER! IT NEEDS **YOUR** HELP!

JUST KEEP YOUR EYES OPEN, WILLIAM! YOU'LL SEE LOTS OF WAYS TO HELP!

RICHT, BUCKET! LET'S SEE WHAT **WE** CAN DO FOR **OOR** ENVIRONMENT!

THE POND'S GEY POLLUTED FOR A START!

I'LL SAVE A FEW PUDDOCKS!

AFF YE GO, LADS! INTO THE FRESH WATER IN THE BURN!

LOOK AT THIS! AULD WALTER'S PIPE IS POLLUTIN' THE ATMOSPHERE!

I'LL PIT OOT THE FIRE!

YE WEE SCUNNER! I NEAR CHOKED!
NOW YE KEN HOW THE OZONE LAYER FEELS!

HEY, YOU TWA!!

LITTER IS POLLUTION, TAE! DID YE NO' HEAR WHAT TEACHER WAS SAYIN'?
LITTER

JINGS! HERE'S A PUIR WEE FLOO'ER NEEDIN' RESCUED FRAE A' THE EXHAUST FUMES!

WHAT'LL I DAE WI' YE NOW?

IDEA!

FOR YOU, MA! IT'LL BRIGHTEN UP THE KITCHEN!
OH, HOW NICE, WULLIE!

I'M **GREEN** A' RICHT.....

HERE'S SOMETHING FOR **YOU**!
....BUT NO' AS GREEN AS I'M CABBAGE LOOKIN'!

Wullie's a glutton —

for a chocolate button!

WHIT RARE—A PACKET OF CHOCOLATE BUTTONS.

SNIFF!
TWITCH!
HI, WULLIE, DAE I SMELL CHOCOLATE BUTTONS SOMEWHERE ABOOT?
I AYE SAID YE HAD A BUTTON NOSE, BOB.

I'LL HIDE THEM UP MA SLEEVE.

I'VE NAE BUTTONS–**ACH!**
YE FIBBER!

NAE BUTTONS ON MY CUFFS, THAT IS.
CHEERIO, WULLIE!

STILL, AH'M IN LUCK. HERE'S A TWENTY PENCE.

NA! IT'S JUST A SHINY BUTTON.

ANE O' MINE, WULLIE. THE NEW TATTIES AYE PUT A FEW POUNDS ON ME.
PAT!
P.C. MURDOCH!

WHAT'S WRONG WI' MA?
MONEY DISPENSER
BANK
ACH! WHIT A SCUNNER!

I'M NEEDIN' CASH AND I'VE FORGOTTEN MY SPECS. I CANNA SEE THE BANK MACHINE BUTTONS.
MONEY DISPENSER
LEAVE IT TO WILLIAM, MOTHER.

YE'RE A WEE TOFF!
NAE BOTHER, MA!
MONEY DISPENSER
PRESS!

SOME BUTTONS ARE A' RICHT. MA GAVE ME SOMETHING TAE MYSEL'.

Oor crafty lad's —

playin' at charades!

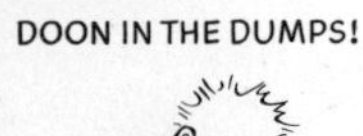
DOON IN THE DUMPS!

WHAT'S WRANG WI' WULLIE? HE'S BEEN QUIET AS A MOOSE A' DAY!
WELL, THAT'S A CHANGE!

BUT—
HELLO, WULLIE! WHAT BRINGS YOU TO THE DOCTOR'S?

WATCH CAREFULLY . . .

EH?

PARDON?
SILENT!

I'VE NO IDEA WHAT YOU'RE ON ABOUT!

SORRY, I STILL DON'T . . .

NOW WHAT?

AND WHAT, MAY I ASK, DO YOU INTEND TO DO WITH THAT COTTON WOOL?
COTTON WOOL

I'VE GOT IT! FOOTBALL!

YOU STARTED OFF CRAWLING UNDER THE TURNSTILE . . . THEN YOU CHEERED ON THE TEAM . . .

. . . YOU THOUGHT THE REF WAS BLIND . . . THEN YOUR TEAM SCORED A GOAL! YOU'RE TRYING TO TELL ME THERE'S A BIG MATCH ON TODAY AND YOU'VE LOST YOUR VOICE!
NOD!

WELL, WE'LL SOON FIX THAT! OPEN WIDE . . . THAT'S IT!

AND SURE ENOUGH—
C'WAY THE ROVERS!

YE WINNA BELIEVE THIS, BUT H
SHOUTED SO MUCH, HE'S LOST
HIS VOICE AGAIN!

Oor Wullie's got — a braw land-yacht!

HI, FOLKS!

I'M GOIN' TAE TURN MY CAIRTIE INTAE A LAND YACHT!
TOOLS

IT'S COMIN' ON FINE!

SMASHIN'! NOW A' I NEED IS A SAIL!

O—
MA WINNA MISS ANE O' HER SHEETS!

AHOY, ECK! LOOK OUT!

YE GREAT GALOOT! DID YE NO' HEAR ME SHOUT?
AAGH!
BUMP!

ACH, SIT WHAUR YE ARE — YE CAN STAY AS A CABIN BOY!
MAMMY!

WE'RE GOIN' OWER FAST! STOP!
HANG ON —
TREMENDOUSLY STEEP HILL

I'LL THROW OOT AN ANCHOR!

BUT—
EEK!
BIFF!
BASH!
OI!
YELP!
THUMP!
THUD!
CRIVVENS!

UDDENLY—
HELP!
TWANG!
SCREECH!
SHEESH!

WAA!

LOOK, WULLIE! THE ANCHOR ROPE'S SNAPPED!
SNAP!
OH, NO!

AND—
WID YE HAE A LOOK AT THAT!
SPLASH! GURGLE! GLOOP!

I MUST BE THE ONLY LAD TAE HAE A LAND YACHT THAT SANK!

Wullie wears shorts —

at the school sports!

HELLO, WULLIE. WHAUR ARE YE AFF TAE?
THE SCHOOL SPORTS.

OH, AYE. WHAT ARE YOU GOIN' IN FOR — THE HURDLES?

NAH, I TRIED THAT LAST YEAR . . .

BUT THE TEACHER WISNA IMPRESSED WI' MY STYLE!

WHIT ABOOT THROWING THE HAMMER?
NAH, I TRIED THAT AS WELL . . .

IT WAS EASY—

— UNTIL I LET THE HAMMER GO!

SEE YE LATER, THEN, ECK. I'M AWA' TAE GET CHANGED.
SPORTS FIELD
CHANGING HUT

SOON—
HO-HO! DINNA TELL ME YE'RE GOIN' TAE RUN IN THAE BOOTS!

BOOTS? WHIT'S WRANG WI' MY BOOTS? THEY'RE PERFECT . . .

I'M THE ANCHOR MAN IN THE TUG-O'-WAR TEAM!

HEAVE!
GRUNT!
PECH!
DIG IN, WULLIE!

WAHEY!
WE'VE WON!

THREE CHEERS FOR OUR ANCHOR MAN!
HO-HO!

HEE-HEE! THAT'S WHY THEY PICKED ME — I'VE GOT THE BIGGEST, HEAVIEST BOOTS!

An extra brother — causes bother.

I'M FED-UP. A' THE LADS ARE AWA' THIS WEEKEND.

IT'S AFFY BEIN' LONELY. I WISH I HAD SOME BRITHERS AN' SISTERS!

HELLO! YOU'RE NEW TAE THE DISTRICT.
AYE! MAH FAMILY JIST MOVED INTAE THE BIG HOOSE DOON THE STREET.

WHIT DAE THEY WANT WI' A HOOSE THON SIZE?
COME ON AND I'LL SHOW YE.

I'VE GOT FOWER BRITHERS — AND FOWER SISTERS!
JINGS! IT MUST BE BRAW LIVIN' IN A BIG FAMILY.

IT IS! LET'S PLAY SOME GAMES!
GREAT IDEA!

RUGBY! TACKLE HIM, JEANNIE!
WAHEY!

SOON —
PECH! THAT WIS BRAW! WHIT NEXT?

HOW ABOOT A TUG O' WAR —
LADDIES AGAINST THE LASSIES. SMASHIN'!

HEAVE!
PULL!

OKAY —

— YOU WIN!
JINGS!
OOF!
SPLAT!

NOW THEN — WHIT NEXT?
HOW ABOOT COWBOYS AND INDIANS?
GOODY! I'LL BE A SQUAW!

STAND STILL WHILE I PUT ON YOUR WAR PAINT!
HURRY UP!

JUST THEN —
JINGS! WHA'S THIS?
IT'S MY MAW AN' MY GRANNY!
TUT! WHIT A SICHT!

YE A' NEED A GUID SCRUB! IN YE GO!
WHAUR DAE YE THINK YOU'RE GOIN'?
B-B-BUT . . .!

RIGHT! WHO'S NEXT, GRANNY?
THIS ANE!
HELP! LET . . . ME . . . EXPLAIN!

WAIT! HE'S NO' ANE O' OORS!
THAT'S WHIT AH TRIED TAE TELL YE!
OH, MY! YOU'RE RIGHT, DAD.
MICHTY!

PHEW! BIG FAMILIES ARE AWFY DANGEROUS!
CLEAN AGAIN!

GRRRR!

Wee Eck's a fan — of strongman Dan!

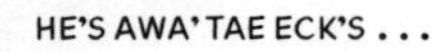
HE'S AWA' TAE ECK'S . . .

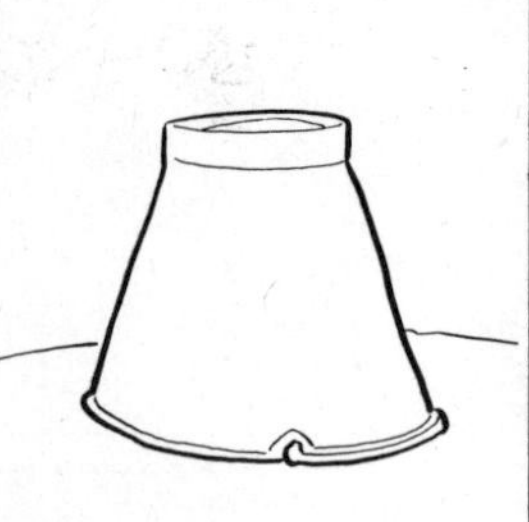

TALK TAE YE IN A MEENIT, WULLIE! I'M JIST FINISHIN' READIN' DESPERATE DAN! HE'S SMASHIN'!
'COURSE HE IS! THAT'S COS HE'S MODELLED ON ME!

AWA'! YOU'RE NO' SUPER STRONG!
IZZATSO? DAN CAN LIFT A HORSE RICHT ABOVE HIS HEID . . .

. . . AND SO CAN I! SEE?
HOI! PIT DOON MY CLOTHES HORSE!
HUH!

AWA' OOT AN' PLAY, BAITH O' YE!
COME ON, WULLIE!

YE'RE A BLETHERIN' SKITE, WULLIE. THERE WIS NOTHIN' STRONG ABOOT THAT!
OKAY, THEN . . . BUT WATCH THIS. WHEN I THROW THIS BA', IT WINNA STOP UNTIL IT GETS TAE LONDON!

AWA' IT GOES! DESPERATE DAN COULDNA THROW IT FARTHER!

SEE? WHIT DID I TELL YE! IT WINNA STOP UNTIL IT GETS TAE LONDON!
EXPRESS DELIVERIES LONDON NON-STOP
ACH, STOP PULLIN' MY LEG!

I'M SERIOUS THIS TIME. I'LL GIE A DESPERATE DAN SNEEZE AN' BLAW A DOOR RICHT AFF A BUILDIN'!
GO ON— SHOW ME!

AWA'! YER SHED DISNAE COUNT AS A BUILDIN'! THE DOOR FA'S AFF EVERY TIME SOMEBODY WALKS PAST IT!
ATCHOO!

ANYWAY, YE CANNA FOOL ME! I KEN WHA DESPERATE DAN WAS MODELLED ON!
WHA?

GRANPAW BROON! I'VE SEE HIM HOLD UP A BUS AN' TWA LORRIES!
DINNA BE DAFT!

THERE YE ARE — HE'S HOLDIN' UP A BUS, A LORRY AN' A CAR RIGHT NOW!
STOP
FURNISH
GASP! I'VE BEEN DIDDLED!

THAT ECK'S GETTIN' TOO SMART!
SMUG!

TEA'S UP, WULLIE. IT'S COW PIE!
NOW MA'S AT IT TAE! IT'S MINCE AN' TATTIES, REALLY!

Simple Simon — met a fly man.

HULLO, READERS!

SIMON'S CASTLE
SEE MY NEW PLAYHOUSE DADDY BOUGHT ME, WILLIAM? BET YOU WISH YOU HAD ONE!
HUH!

MY AULD SHED'S BETTER THAN YOUR POSH PLAYHOOSE ANY DAY!

SLAP!
FOR A START, IT HAS AN AUTOMATIC DOOR!

SEE?
CREAK!

AN' YE'VE NEVER SEEN MAIR INTERESTIN' WALLPAPER THAN THAT!
OLD BEANOS!

AN' IT'S GOT LOTS O' HOUSEHOLD PETS!
PONGY CHEESE!

?
AN' IT'S GOT ITS OWN DEFENCE SYSTEM!
BLAW

THAT'S MY SPECIAL SMOKE-SCREEN!
WHOOSH!
THICK SOOT!

BUT —
OH, CRIVVENS! IT'S PA!

BUT THE BEST THING ABOOT MY SHED IS ITS EMERGENCY EXIT!
EMERGENCY EXIT?

AYE! RIGHT HERE!

I'M AWA'! CHEERIO!

COVER ME WI' SOOT, WID YE?
GULP!

HO-HO! I OWNED UP TAE IT, BUT IT WAS WORTH THE ROW TAE GIE SIMON A FRIGHT!

FRESH
ROLLS

Wullie micht be a shrimp, —

but he isnae a wimp!

JINGS! THE VERY DAB!

HI, ECK! MR McNAB DOON AT THE CORNER SHOPPIE IS ADVERTISIN' FOR A MESSAGE LADDIE! I'M AFF TAE APPLY!
IZZATSO?

A DELIVERY JOB, EH? YE NEEDNA BOTHER APPLYIN', SHRIMP! I'M GOIN' EFTER IT!

NA, I DINNA THINK YE'LL GET THE JOB. FOR A START, YE'VE GOT TAE BE ABLE TAE LIFT SACKS O' TATTIES AN' THINGS!
SO?

I COULD DAE THAT EASY! WATCH!
AYE, NO' BAD . . .
HI, PIT DOON THAT COAL!
McLARTY
COAL MERCHA

. . . BUT CAN YE CARRY HEAVY THINGS AND TAK' SHORT CUTS AS WELL TAE SAVE TIME?
JIST YOU WATCH!

HOWZAT? CARRYIN' A BIN AND LOUPIN' A FENCE AT THE SAME TIME!
HMM!

PRETTY GUID, EH? PUFF! WHEEZE!
AYE, THAT'S PRETTY SMART . . .

BUT YE'D NEED TAE BE ABLE TAE RUN UP AND DOON STAIRS TAE DAE DELIVERIES IN THE MULTIS!
THINK I COULDNA, EH?

JIST YOU WATCH!
NEVIS TOWER
I'M WATCHIN'!
OUT OF ORDER

PRESENTLY —
HOWZAT? PANT! PHEW! RIGHT TAE THE TAP AND DOON AGAIN IN UNDER TWA MEENITS!
AYE, THAT'S PRETTY GUID . . .

. . . BUT YE'LL STILL NO' GET THE JOB!
PUFF! PANT! EH, HOW NO'?

DELIVERY BOY WANTED
'COS I'LL GET TAE THE SHOP FIRST, YE DAFT SKITE!
YE CHEAT! YE TIRED ME OOT ON PURPOSE!

IT'S BRAINS YE NEED, NO' BRAWN!

That hungry duck —

is oot o' luck!

THIS MUST BE THE STALE GRUB MA LEFT ME TAE FEED THE DUCKS.

PARK
HELLO, REX. HIV SOMETHING TAE EAT!
WOOF!

HERE — TUCK IN!

CRIVVENS! WHIT'S THAT FOR?
GRR

YER JIST AN UNGRATEFUL BRUTE!
SNARL
WOOF

HELLO, POLLY — LIKE A BIT O' BUN?

ENJOY YERSEL'!

EH?
PHUT

POLICE! FIRE! HELP!
HUH! KEEP YER FEATHERS ON!

COME AND GET IT, LADS!

SMASHIN', EH!

EH? WHIT'S GOING ON?

WULLIE! THERE YE ARE!
MA!

I DINNA KEN HOW, BUT THE WRONG PAPER BAG GOT LEFT ON THE TABLE FOR YOU. YOU TOOK AUNTIE MABEL'S SCONES BY MISTAKE! SWOP!
GASP!

YER OWER LATE. IT'S EMPTY!
INNOCENCE!
OH, DEAR!

EMPTY BAG WHERE IT BELONGS
TAK' THIS! YE'VE SAVED ME FROM ANITHER SAMPLE O' MABEL'S TERRIBLE BAKIN'!
I DINNA KEN HOW THAE BAGS MANAGED TAE GET MIXED UP.

SEE MY FAITHER — HE'S WORSE THAN ME!

Soup in a bowl —

for a puir auld sowel!

WULLIE!

TAK' THIS SOUP ROOND TAE PUIR AULD MR WULSON. AN' MAK' SURE HE GETS IT WHILE IT'S HOT!

MA'S AYE TAKIN' PITY ON AULD FOWK!

CRIVVENS! THERE'S BASHER BRIGGS. AN' HE'S PROMISED ME A HIDIN'!

IRONMONGER
TRUST HIM TAE MEET A MATE JIST HERE!
SO I SAYS TAE HIM . . .

THE SOUP'S GOIN' CAULD. I'LL HAE TAE HEAT IT UP SOMEHOW!

AND SO —
I'LL SOON HEAT IT UP FOR YE, WULLIE!

IT'S BILIN' HOT AGAIN! SMASHIN'!

BUT —
THERE'S WULLIE! THE VERY DAB!

THAT BIG DAFTIE TAM, HERE, KICKED OOR BA' UP THE TREE!
IT WIS YOUR BLAME, BROON! YOU WERE MEANT TAE HEID IT BACK!

THERE YE ARE! DINNA PLAY NEAR THE TREE AGAIN!

IT'S GOIN' CAULD AGAIN! I'LL TAKE A SHORTCUT THROUGH THE FACTORY BOILER-HOOSE!

PHEW! I DINNA KEN ABOOT THE SOUP BUT I'M FAIR BILIN'!

THEN —
HEY, WULLIE! SEE THE CLEVER TRICK I CAN DAE! JUGGLIN' WI' ICE CUBES!

OOPS! IT SLIPPED!
YE DAFT GOWK, ECK! NOW MR WULSON'S SOUP WILL BE FROZEN!

HERE, WULLIE! BRING IT OWER!

MY MICROWAVE WILL SOON HEAT IT UP AGAIN!
AN' MR WULSON LIVES NEXT DOOR! SO IT'LL STAY PIPIN' HOT!

HERE YE ARE, MR WULSON! A BOWL O' SOUP FRAE MA — PIPIN' HOT!
OH, JIST GRAND, WULLIE!

I'VE HAD MY DENNER TODAY, BUT I'LL PIT IT IN THE FRIDGE WHEN IT COOLS, FOR TOMORROW!
EH?

I SHOULD JIST HAVE LET IT GET CAULD IN THE FIRST PLACE!

Wullie likes Dennis —

so he wants tae be a menace!

SEE THIS DENNIS THE MENACE — HE'S SMASHIN'!
BEANO

I THINK I'LL BE A MENACE TODAY! HAH-HAH!

SO —
I'LL RING THIS BELL AN' RUN AWA'!
RRRING!

THAT'S IT! SMASHIN'!

UT —
THANKS, WULLIE! I'D SLEPT IN FOR WORK!
EH? ACH!

NEXT —
HAR-HAR! NASTY DEED NUMBER TWO COMING UP!

HOI!
GRAB
THANKS, FATSO!

UT —
MA! WULLIE'S GOT MY ROCK!
PUFF! PHEW!

BOB'S ROCK?
ER — WELL . . .
WHEEZE!
PUFF!

WELL DONE, WULLIE! BOB'S ON A DIET. YOU'RE A GOOD BOY!
OH . . . ER . . . YES!
ACH!

ATER —
I'M NO' HAEIN' MUCH SUCCESS AT BEIN' A MENACE! I'LL HAE TAE TRY SOMETHIN' ELSE!

SO —
I'LL DISTURB THE PEACE! DENNIS WID BE PROUD O' ME!
BLARE

WULLIE!
BLARE!
I'M FOR IT NOW!

YE'RE A WEE DARLIN'!
EH?

WELL DONE! THAT WIS A BRAW IDEA, USIN' YER TRANNY TAE KEEP THE BIRDS AFF THAT NEW GRASS SEED! WHY CAN YE NO' BE THIS HELPFUL A' THE TIME?
EH? BUT — !

I'M JIST A FAILURE AT BEIN' BAD!

Teachin' a learner —

is a nice little earner!

'LO, FOLKS!

WALLY'S DRIVING SCHOOL
SAME TIME NEXT WEEK, THEN!
HMM!

SOON—
CARTIE DRIVING LESSONS 10 JOOB JOOBS OR TWA SCONES PER LESSON
WHIT'S THIS?

AND SO—
RIGHT, AFF WE GO, SIR.

SIGNAL WHEN YE'RE READY TAE TURN!
OKAY!

OOYAH!
SMACK!

THEN—
WE'LL TRY AN EMERGENCY STOP NEXT . . .
YES, WULLIE!
STOOSHIE HILL

WAIT! NO' YET!

TOO LATE!
AIEEE!

WE'LL TRY REVERSIN'! YE CANNA GET INTAE TROUBLE WI' THAT!
NAE BACK LEFT!

OH, NO?
LEFT HAND DOON . . . STRAIGHT BACK . . . RIGHT HAND DOON . . .

OOYAH! M' CORNS!
GASP!

YE'RE A MENACE ON THE ROADS . . . A MENACE TAE THE PUBLIC . . .
SHAME!
MAIR SHAME!

I'M GOING TO SEE THAT YE'RE PUT WHAUR YE CANNA DAE ANY DAMAGE!
WE'RE FOR IT NOO, WULLIE!
AYE—JILE!

BUT—
THE DODGEM CARS! GUID AULD MURDOCH!
WAHEY!

SEE YON MURDOCH— HE'S SMASHIN'!

"Quiet, lads —

beware of Dads!"

'LO, FOLKS!

HERE COMES BOB! GREAT!

HI, BOB! TAK' AFF YER SHOES AND SNEAK IN!
OKAY!

SO —
SSH!
HEH-HEH!

NEXT —
OH, NO! HERE'S ECK! DOONSTAIRS — FAST!

SNEAK IN, ECK! DINNA LET PA SEE YE!

SO —
DAE WE REALLY HAE TAE DAE THIS?
KEEP GOIN', ECK!

ONLY SOAPY TO COME! HERE HE IS NOW!

QUIETLY, SOAPY!

THEN —
LISTEN! IT'S PA!
FOOTSTEPS

AHEM!

UPSTAIRS — FAST!
OKAY, WULLIE!

GOOD! IT'S SAFE TAE START NOW!

BUT SOON —
WULLIE! ARE YE — WELL!
AW, NO!

YE DIDNA TELL ME YE WERE GOIN' TAE GET YER TRAIN SET OOT!
NO, PA!
TRAIN SET

PHEEP!
HUFF!
SIGH!
HUH!

HUH! PA'S AYE LIKE THAT WHENEVER ME AN' THE LADS PLAY AT RAILWAYS!

Granny Gow's ceilin' — has started peelin'.

HE'S AWA' OOT WI' WEE ECK.
YE DAFT SKITE! YE'RE MEANT TAE KICK IT BACK, NO' PIT IT OWER YER HEID!
ACH!

JINGS, THAT ROLLER REMINDS ME, ECK — I'VE PROMISED TAE PENT GRANNY GOW'S CEILIN'!
SPLOSH!

I'LL HAE TAE GET A' THE STUFF I NEED!

HERE WE GO!
EH?
PA'S SHED
TRUNDLE!

YE DID SAY PENT A CEILIN'?
AYE, THAT'S RIGHT!

HI, LADS! WHIT'S GOIN' ON?

WULLIE'S GOIN' TAE PENT GRANNY GOW'S CEILIN'!
HE'S WHIT?

HULLO, LADS! WHAUR ARE YE AFF TAE?

WULLIE'S AWA' TAE PENT GRANNY GOW'S CEILIN'!
CHORTLE!

GRANNY GOW LIVES IN THE LAST HOOSE . . .

. . . BUT FIRST I'VE TAE SEE TAM WULSON.

HULLO, MR WULSON! PA ASKED ME TAE BRING BACK YER GAIRDEN ROLLER . . .

. . . AND COULD I HAE BACK HIS PENT ROLLER, PLEASE?
GASP!
AYE, RIGHTO, WULLIE!

NOW TAE GET STARTED!
HMPH!
ACH!

I'M A' SET TAE GET YER CEILIN' PENTED, GRANNY!
THAT'S BRAW, WULLIE! I'VE GOT THE PENT!

WHEN YE'VE DONE, COME DOON AND HAE SOME HAM ROLLS AND JAM ROLY-POLY!
ROLL ON!

I'M NO' THAT DAFT!

Wullie would be sorry —

Tae live in a multi-storey.

I'M GOIN' TAE GET MY DENNER FRAE MRS WULSON IN HER MULTI- STOREY!

I'M NO' SURE IF I'D LIKE TAE BIDE IN A MULTI. JIST IMAGINE . . .
S. CARY HEIGHTS

HEY, MAW — THROW DOON A JEELLY PIECE!

HERE IT COMES — JINGS! MISSED IT!
SPLAT!

MESSY THING! I'VE JIST SWEPT THAT BIT!
CLEANSING DEPT

OR EVEN WORSE . . .

HEY, WULLIE — YE FORGOT YER BEANO!

AW, CRIVVENS! THE WIND'S AWA' WI' IT!

OR THIS . . .

HEY, WULLIE, THERE'S A BRAW CARTOON ON TELLY!
GREAT!

JINGS! THE LIFT'S NEVER THERE WHEN YE WANT IT!

YE'RE OWER LATE! IT'S FEENISHED!
ACH!
That's All Kids

PRESENTLY —
HERE'S YER SOUP, WULLIE. I SUPPOSE YE'LL BE WANTIN' THE SEAT BY THE WINDIE, AS USUAL!
AW, MRS WULSON! I THINK YOUR MULTI'S GREAT!
EH?

SMASHIN'! COME AWA', UNITED!

AYE, YE GET A RARE VIEW O' THE FITBA FRAE MRS WULSON'S WINDIE!

Wullie makes a mistake —

So he gives himself a shake.

HE'S IN THE HOOSE.

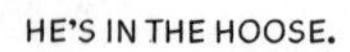

YEUCH!

OH, NO!

THERE'S JIST ONE THING FOR IT!

H-H-H-E-L-L-LO, W-W-U-L-LIE!
H-H-H-HI, T-T-TAM!

TEA UP, TAM!
ACH!

ROAD WORKS
HMPH!

THIS'LL DAE THE TRICK!
TRAMPOLINE

BUT —
SORRY, WULLIE! WE'RE CLOSIN'!
AW, NO!

DUMP
AYE-AYE! WHAT'S THAT I SEE?

BOYSOBOYS! WHIT A SMASHIN' BIKE!

BUT —
HALT!

THAT BIKE'S NO' SAFE! AWA' YE GO!
HUH!

THEN —
HOI!
J-JINGS!

WEE NYAFF! WATCH WHERE YE'RE GOIN'!
Y-Y-Y-ES!

THANKS VERY MUCH, BASHER! I WIS NEEDIN' THAT!
EH?

THAT'S THE LAST TIME I FORGET TAE SHAKE THE BOTTLE BEFORE I TAK' MY MEDICINE!

Wullie's smitten —

wi' a wee, lost kitten!

TIME TAE HAE A WANDER THROUGH THE TOON!

WHISSAT?
MIAOW!

HELLO, KITTY! YE'RE OWER WEE TAE BE WANDERIN' ABOOT!

IN YE GO!

HE'LL BE SAFE INSIDE HIS GAIRDEN!

BUT—
CRIVVENS! YOU AGAIN!
MIAOW!

IN YE GO AGAIN— AND STAY IN, THIS TIME!

I'LL GO THE ITHER WAY IN CASE HE COMES OOT AND TRIES TAE FOLLOW ME.

BUT—
CRIVVENS! HOW DID YOU GET HERE?
MIAOW!

I'M GETTIN' TIRED TELLIN' YE — YE'RE OWER WEE TAE BE OOT ON YER AIN!

I'LL HIDE HERE IN CASE HE TRIES TAE GET OOT AGAIN!

BUT—
EH?
MIAOW!

YOU AGAIN?

YE MUST BE THE BEST ESCAPE ARTIST IN THE BUSINESS! BUT I'M TAKIN' YOU RIGHT INSIDE THIS TIME!

AND THEN—
HELP! SO THAT'S IT . . . THERE'S FOWER O' YE! I'VE BEEN CATCHIN' A DIFFERENT ANE EACH TIME!

WID YE BELIEVE IT!

Wullie is found —

with his ear tae the ground.

TIME I GOT STARTED!

BRAW DAY . . .

IT WAS!
CRIVVENS. WHAT ARE YE DAEIN' DOON THERE, WULLIE?
LISTENIN'!

BUT I'LL HAE TAE LISTEN SOMEWHERE ELSE!
EH?

SOON —
JINGS! THERE'S WULLIE! HE MUST BE ILL!
AMBULANCE

IT'S A'RICHT, WULLIE! WE'LL GET YE TAE THE HOSPITAL!
HEY! STOPPIT! CAN I NO' GET PEACE TAE LISTEN?

PRESENTLY —
NOW THEN . . .

OOYAH!

SHEESH! THAT WIS SAIR!
SERVES YE RICHT FOR CRAWLIN' ABOOT LIKE A BAIRN!

THEN —
OH, BOY!

I CANNA RESIST THIS!
SWING!

AARGH!
MISSED!
NO, IT'S NO' THERE EITHER!

IS THAT IT?

AT LAST!

HEY, MR BLACK! ARE YE FEENISHED WI' MY TRANNY?
AYE, THANKS! THE BIG GEMME IS FINISHED. ROVERS WON TWA-NOTHIN'!

MR BLACK WORKS UNDERGROUND A' OWER THE TOON. YE NEVER KEN WHAUR HE'S GOIN' TAE BE!

Wullie has nae mercy —

as he taks the len o' Percy.

ARITHMETIC

HELLO, FOLKS!

HUH! THERE'S THAT POSH PEST, PERCY. HE'LL HAE SOMETHIN' TAE BOAST ABOOT, I SUPPOSE!
TRAVEL AGENT
HELLO, WILLIAM!

MY PARENTS HAVE JUST BEEN BOOKING OUR HOLIDAY TO INDIA ! I DON'T SUPPOSE YOU EVER HAVE EXOTIC HOLIDAYS LIKE THAT!
OCH, AYE — EVERY YEAR!

SWANEE POND
A COUPLE O' YEARS AGO, I WENT ON A CRUISE . . .

. . . BUT A BIG STORM RAGED . . .
WULLIE! YER TIME WIS UP AN HOUR AGO!

. . . AN' I FELL OVERBOARD . . .

. . . AN' ENDED UP MAROONED ON AN ISLAND!
YE GREAT DAFTY! YE CAN STAY THERE TILL I HAE TIME TAE PICK YE UP!

GOODNESS! WHAT AN EXCITING ADVENTURE!
OH, THAT WIS NOTHIN'! ANOTHER YEAR I WENT HUNTIN' IN THE JUNGLE . . .

THIS IS THE DEEPEST ROUGH I'VE EVER SEEN. I SHOULD BE ABLE TAE FIND LOTS O' GOWFIES HERE!
JINGS, IT WAS WILD OOT THERE!

GEROOTOIT!
. . . BUT BEFORE I COULD GET STARTED, I WIS CHASED BY WILD MEN WI' CLUBS!

THEN THERE WIS THE YEAR . . .

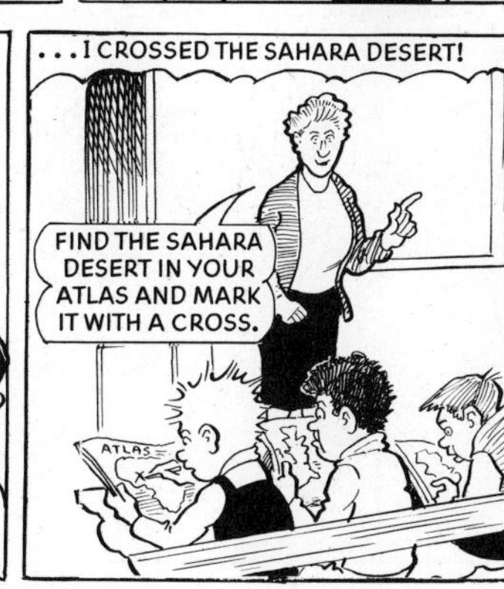
. . . I CROSSED THE SAHARA DESERT!
FIND THE SAHARA DESERT IN YOUR ATLAS AND MARK IT WITH A CROSS.
ATLAS

. . . AND THE YEAR I WENT BEAR HUNTIN' IN THE ROCKIES!
I'VE FOUND YER TEDDY, SUZIE. NOW DINNA YOU COME PLAYIN' IN THE AULD QUARRY AGAIN!

WELL, YOU'VE CERTAINLY BEEN AROUND, WILLIAM, BUT YOU STILL HAVEN'T HAD AN INDIAN HOLIDAY!
WRONG!

GUNGA DAN INDIAN TAKEAWAY
THAT WIS EXCEEDINGLY GUID O' YE TAE HELP OOR STAFF PROBLEM, YOUNG WILLIAM!
THAT WIS LAST YEAR!

THAT PIT PERCY'S GAS AT A PEEP!

Wullie's count-down —

causes many a frown.

. . . 33, 48 . . . 57 . . .

J. McHAWD BUILDER
. . . 1,845 . . ., 1,846 . . .

. . . 63 . . . 52 . . .

THEN—
. . . ER, . . . 1,84 . . .
89 . . . 76!

HUMPH! 1 . . . 2 . . .

LATER—
LISTEN TO THE GAME PLAY, BOYS!
COACH

49 . . . 63 . . . 71 . . .
43 . . . 21 . . . 33 . . .
COACH

AND—
BUMP!
OOF!
HO-HO!
OW!

17 . . . 19 . . . 99
HI, WULLIE! WHAT'S THIS — PRACTISIN' FOR TOMORROW'S ARITHMETIC TEST?

HO-HO! NO — JUST GETTING SOME ITHER KIND O' PRACTICE!
EH?

INSIDE—
EXIT
READY, A'BODY!
AYE! LET'S GET STARTED!

4 AND 3 — 43!
HA-HA! WULLIE'S THE CALLER FOR THE AULD FOWK'S BINGO!
EH? WHAT DID HE SAY?
TIME FOR TEA?
SPEAK UP, LADDIE!
NO — HE SAID '4 AND 3'!

SHOUTED SO MUCH — LOST MY VOICE! HA-HA-HA!

Wullie's on the run —

Jings! What has he done?

TIME FOR A STROLL THROUGH THE TOON!

WULLIE!
OH-OH!

I WANT A WORD WI' YOU!
CRIVVENS! WHAT HAVE I DONE?

THERE'S THAT WULLIE IN TROUBLE AGAIN!

JINGS! WONDER WHAT WULLIE'S DONE!
WHATEVER IT IS, HE NEEDS OOR HELP!

AND SO—
PHONE
QUICK, WULLIE! HIDE IN HERE!

PHONE
TCH! WAUR'S HE GONE?
INNOCENCE!

PHONE
DINNAE BE DAFT, YOU TWA!
AH-HA!

DAFT SKITE! HE GAVE HIMSEL' AWA'!

HE IS OOR PAL! IT'S OOR DUTY TO HELP HIM AGAIN!

WE WANT TAE REPORT A LOST BA'!
RUN, WULLIE!

DINNAE BOTHER ME JUST NOW, LADS! CAN YE NO' SEE I'M BUSY?
HO-HUM!

GIVE UP! IT SERVES HIM RICHT IF HE'S CAUGHT!

THEN—
THAT YOUNG IMP! HE'S IN TROUBLE WI' MURDOCH!
PA!

NAE MAIR RUNNIN'! MR MURDOCH WANTS A WORD WI' YOU!
OCH, I'M FINISHED WI' HIM NOW — EXCEPT TAE THANK HIM!

I'M SUPPOSED TAE BE TRAININ' FOR THE MARATHON, SO I GOT WULLIE TAE PACE ME!
SAME TIME TOMORROW, P.C. MURDOCH!

FANCY ME BEIN' ON THE RUN FRAE THE LAW!

Oh, my gosh —

Wullie's lost his dosh!

I THINK I'LL TAK' A DANDER THROUGH THE TOON!

BOYSOBOYS! LOOK AT THAT! IT'S MY LUCKY DAY!

WHIT'LL I BUY? SWEETIES OR ICE CREAM? HEIDS OR TAILS . . .

CRIVVENS! IT'S LANDED ON P.C. MURDOCH'S FLAT HAT!

JINGS! WID YE LOOK AT THAT!
EH?

LOOK AT WHIT? I CANNA SEE ONYTHING!
NO, BUT I DO!

AW, NO! IT'S AWA' DOON THE BRAE!

STOP! COME BACK!

HELP M'BOAB! NOW WHAUR'S IT GOIN'?
BOUNCE

RICHT INTAE GRANPAW BROON'S GAIRDEN! AN' HE HASNAE CUT HIS GRASS FOR WEEKS!

HERE, IT'LL TAK' YE A' DAY TAE CUT THIS, GRANPAW . . .

. . . AND I CANNA WAIT A' THAT TIME!

LATER—
STILL NAE SIGN O' IT!

AT LAST!
THERE IT IS! RIGHT AT THE VERY END!

NAE NEED TAE TOSS TAE SEE WHIT I'M GOIN' TAE BUY! EFTER A' THAT HOT WORK, I NEED AN ICE CREAM!

I'LL HAE A RASPBERRY CONE, PLEASE, TONI!

NOTTA WITH THIS COIN, YOU WINNA! ITSA FOREIGN COIN! YOU NEEDA TAE GO TAE GERMANY TAE SPEND THIS ONE!
OH, NO!
TONI'S ICE CREAM

HMPH! EFTER A' THAT HARD WORK!

Every night, it seems —

Wullie likes cheese-dreams!

HE'S NO' UP YET.

JINGS! I'LL HAE TAE FIND OOT WHIT HAPPENED!
YAWN!

MICHT AS WEEL GET STARTED! HERE WE GO!

THIS IS GOIN' TAE BE HARD WORK!
PHEW! PUFF!

UP AGAIN!
WHEEZE! GASP!

THEN —
NEED ANY MESSAGES, MA?
ER — YES, A BAG O' SUGAR!

AFF WE GO!
ZOOM

VERY SOON —
HUP... ONE... TWO!

THERE'S THE SUGAR, MA!
GRAND! AWA' AN' HAE A SEAT NOW. THERE'S A COWBOY FILM ON THE TELLY!
RUNNING ON THE SPOT!

BUT —
SORRY, CANNA STOP! I WANT TAE DAE A FEW LAPS O' THE HOOSE BEFORE SUPPER!
GASP!

SO —
IT'S NO' LIKE HIM TAE MISS A FILM!

LATER —
IS IT SUPPER TIME YET? I WANT AN EARLY NIGHT! I'M TIRED OOT NOW!

SO —
YE'RE AN AFFY LAD FOR CHEESE SANDWICHES!
MUNCH! MUNCH!

GOODNIGHT! I'M AFF TAE BED!
EH? SEVEN O'CLOCK! WHAT'S COME OVER HIM?

IN BED —
GOAL!

NEXT MORNING —
HEH-HEH! I HAD TO TIRE MYSELF OOT AND EAT CHEESE SO THAT I COULD FINISH AFF THE DREAM I HAD THE NICHT AFORE — PLAYING FOR SCOTLAND AND SCORING THE WINNING GOAL IN THE WORLD CUP! HA-HA!

Wullie's deep in trouble —

and Murdoch's seein' double!

WHISSAT?
CRASH!

IT WIS HIM!
IT WIS HIM!
THE BROON TWINS!

HMPH! I'LL LET YE AFF THIS TIME. AWA' YE GO!
I WISH I WIS TWINS! THAE TWA GET AWA' WI' MURDER!

I'VE GOT AN IDEA!

AND SO—
I'LL STAND MY TWIN NEAR THE WINDIE!

SOON—
HELLO, WULLIE!

WILLIAM? NO, I'M NOT WILLIAM . . .

WILLIAM'S IN HIS SHED. I'M HIS LONG-LOST TWIN FRAE, ER, FROM, AUSTRALIA!
PRETEND SURPRISE!
IZZATSO?

LATER—
HEY, YOU! WHIT ABOOT THAE SWEETIES YOU OWE ME?
SWEETIES? AH, YOU MUST BE WILLIAM'S FRIEND, FAT ROBERT!

WILLIAM'S IN HIS SHED. I'M HIS LONG-LOST TWIN FROM AUSTRALIA!

IS IT SUPPER TIME, MA? I'M STARVIN'!

SUPPER? YE HAD YER CHANCE WHEN ME AND P.C. MURDOCH CALLED OOT TAE YE IN YER SHED, BUT YE DIDNA COME OOT, SO I GAVE YER CAKE TAE HIM!

SEE THON MURDOCH! HE'S GETTIN' TOO CLEVER!

His pals are in dismay —

Wullie disnae want to play!

H, BOY — TODAY'S THE DAY!

I NEVER MISS IT!

JUST THEN —
HI, WULLIE! I'M AWA' A MESSAGE FOR GRANNY GREEN. COMIN'? SHE AYE GIES YE A SWEETIE!

SWEETIES? ER — NO. I'VE GONE RICHT AFF SWEETIES!
GASP!

HELLO, WULLIE! I'VE GOT TWA FREE TICKETS FOR THE PICTERS! COMIN'?

THE PICTERS? NA, WHA WANTS TAE SIT IN A STUFFY PICTER-HOOSE ON A BRAW SUNNY DAY?
EH?

THEN —
HEY, WULLIE — I'M GOIN' FOR A JOG. COME ON!
HUFFED
EH? ER — NO THANKS!

ACH, COME ON!
HEY! NO! OH, WELL . . .

. . . BUT IT'LL NEED TAE BE A QUICK JOG!
HEY! THAT'S NO' A JOG — THAT'S A GALLOP!
WHOOSH!

PHEW! I LOST HIM THREE MILES DOON THE ROAD! HOPE I GOT BACK HERE IN TIME!

HEY, WULLIE — ARE YE READY?
I AM THAT!

RICHT! CATCH!
HO-HO! MR WULSON'S WIFE MAK'S HIM A PIZZA EVERY SATURDAY, AND HE CANNA STAND THE STUFF! BUT I LOVE IT!

BUT —
CRIVVENS! MISSED!
GULP!

HMPH! ANITHER WHOLE WEEK TAE WAIT AFORE I GET THE CHANCE AGAIN!
GOBBLE

Wullie tries tae be jolly — wi' a "melan-collie!"

HE'S AWA' A MESSAGE FOR MA.

AW, JINGS! BIG SANDY'S UPSET AGAIN!
AWOOOOOO

HERE, SANDY! I'LL CHEER YE UP! CATCH THE BA'!

HUH! HE'S TOO UPSET TAE BOTHER! I'LL HAE TAE TRY SOMETHIN' ELSE!

MIAOW! MIAOW! I'M A CAT, SANDY! COME AN' CHASE ME! MIAOW!

YEOWPS!
MIAOW! OH, JINGS!

DAE THAT AGAIN, PUSS, AN' YE'LL LOSE ANE O' YER LIVES!
ER, SORRY, P.C. MURDOCH!
MISERABLE!

HERE, MEBBE A READ O' THIS WEEK'S BEANO WILL CHEER YE UP!
AWOOOOOOOO

... SO THEN MINNIE THE MINX GOES BACK TAE HER HOOSE AN' ...

AWOOOOOO
HE'S NO' EVEN LISTENIN'!
NO, BUT WE ARE! KEEP GOIN'!

AWA' AN' BUY YER AIN BEANOS!

AN' AS FOR YOU — I GIE UP!

I CANNA WASTE ANY MAIR TIME. I'M AWA' TAE BUY MA'S MINCE!

HEY! WHIT'S THE RUSH?
ZOOM

JINGS! SO THAT'S IT — THAT'S WHIT HE WIS WANTIN'!
HERE YE ARE, SANDY!
DOG BONE DAY

HE'S AN AFFY DUG!

Rub-a-dub-dub —

Wullie in a tub!

SNIFF!

HE'S AWA' ON THE SCROUNGE.

BOYSOBOYS! I'LL HAE SOME FUN WI' THIS!
TIP

WAHEY!

BUT —
CRACK!
CRIVVENS!

SPLODGE

SOON —
I'VE PIT WHEELS ON IT — BRAW!

SMASHIN'!

JINGS!
CRUNCH

SPLATT!
MAIR MUD!

PRESENTLY —
IT MAK'S A GREAT BOAT!

OH-OH!
SOOT

EH?
OOYAH!
WHUMPH!

YE WEE DEIL!

WULLIE!
MA!

YE LOOK AS IF YE HADNAE SEEN A BATH FOR A MONTH!
IF ONLY SHE KNEW!

CLEAN AGAIN!

Boab's fit tae burst —

when he comes aff worst.

DINNA DISTURB ME! I'VE GOT A PROBLEM!

JINGS, BOAB, YE'RE LOOKIN' AFFY UNFIT!
ME? UNFIT? NEVER!

SEE? I'M FIT ENOUGH!
HUH! THAT PROVES NOTHIN'! BET YE COULDNAE TOUCH YER TAES!

I COULD THAT! SEE? OH, JINGS!
RRRIP!
TSK! YER BREEKS ARENAE VERY FIT EITHER!

WELL, YE DID MANAGE TAE TOUCH YER TAES! BUT THAT DOESNAE PROVE YE'RE FIT!

MEBBE IF YE CLIMBED RIGHT UP TAE THE TOP O' THAT TREE, I'D BELIEVE YE!
YE'RE ON!

SEE? IT'S EASY-PEASY!

CRACK!
EASY-PEASY, EH? HO-HO! THAT JIST GOES TAE PROVE YE'RE OWER HEAVY!

TELL YE WHAT, ONE LAST TEST! IF YE CAN JUMP RIGHT OWER THAT FENCE, THEN I'LL BELIEVE YE'RE FIT!
HUH! NAE PROBLEM!

SEE?

OH, CRIVVENS!
GRRR!

MAMMY!
THAT'S IT, BOAB! YOU KEEP HIM OCCUPIED WHILE I GET MY BA' BACK!

THAT SOLVED MY PROBLEM!

Oh, whit a mess —

an' a terrible smell o' broken gless!

SEE THIS JOKE FITBA . . .?

IT'S MADE O' SPONGY FOAM! I'M GOIN' TAE HAE GREAT FUN WI' IT!

HERE COMES PA — AN' HERE'S WHAUR THE FUN STARTS!

WULLIE! THE WINDIE!
WHAM!

HERE! THIS ISNAE A REAL FITBA!
OF COURSE IT ISNAE!

YE DIDNA THINK I'D KICK A REAL FITBA AT THE WINDIE, DID YE?
INNOCENCE!
HMPH!

S·M·PAYNE·GLAZIER
CANNY WI' THIS GLASS, TAM!
AYE-AYE . . .

OOPS! RICHT OWER MY HEID!
OH, NO!

BOUNCE
SHEESH!

YE'RE LOOKIN' AFFY WHITE! DID MY SPONGE BA' GIE YE A FRIGHT?
SIGH!
PHEW!

P.C. MURDOCH WORKIN' IN THE GREENHOOSE! THIS IS A CHANCE I CANNA MISS!

CRIVVENS! I DID MISS! WHIT A ROTTEN KICK!
SWERVE!

I'LL NO' MISS A SECOND TIME!

RIGHT ON TARGET THIS TIME! FUNNY! IT FELT A BIT HEAVIER JIST NOW!

HEY, WULLIE — THIS IS YOURS! YOU PICKED UP MY BA' BY MISTAKE!
SHATTER
ROAR!
OH, NO!

NAE MAIR JOKE FITBAS! I'VE THROWN IN THE SPONGE — RIGHT INTAE THE DUSTBIN!

Whit a lark — in the park!

THE JOBS I GET LANDED WI'!
PLAY PARK
PONG

PHEW! THERE'S AN AFFY STINK COMING FRAE THE DUMP, PARKY. YE'D BETTER SHUT YER DOOR!
PONG!

NA, NA, WULLIE! I'VE GOT A CAULD AND I CANNA SMELL A THING!
OUCH

ER, IN THAT CASE, AWA' YE GO FOR A WALK IN THE FRESH AIR AND GET YERSEL' HEALTHY — I'LL LOOK EFTER THE PLAY PARK FOR YE!

NA! I CANNA DAE THAT! I'M ON DUTY!

HUH! THIS IS GOIN' TAE HURT, BUT . . .

OO! OUCH! PARKY! I'M STUCK IN THE WHIN BUSHES! COME AN' HELP ME OOT!

HEY! STOP IT! MIND YER AIN BUSINESS!
THAT'S MY ROVER! AYE TRYIN' TAE SAVE ME WORK!

AYE, HE'S A CLEVER DOG, ROVER! JUST LIKE YON SHEEPDOGS YE SEE IN THE TRIALS. THAT'S MY FAVOURITE TV PROGRAMME.

I'LL BE BACK IN A MINUTE!
EH?

HERE YE ARE, PARKY! BORROW MY WEE TELLY! THERE'S A SHEEPDOG PROGRAMME ON IN FIVE MINUTES!
IZZATSO?

YE'D BETTER ENJOY THIS! IT WASNAE EASY DISTRACTIN' HIS ATTENTION!
AH! YE'RE A GUID LADDIE, WULLIE! I KENT YE'D MANAGE SOMETHIN'! AND DINNA WORRY — THAT'S YOU SET UP FOR GRANNY SOOKERS FOR THE REST O' THE YEAR!

SEE GRANPAW BROON AND HIS CRONIES — THEY'RE AN AFFY BUNCH!

Wullie braks a' the rules —

when he plays at the bools!

HI, PALS!

HEY, WULLIE! ARE YE ANY GUID AT BOWLIN'?
ME? BRILLIANT!

I'LL BE THE FAST BOWLER IN YER CRICKET TEAM! WATCH THIS!
BONK!

JINGS!
BOUNCE!

YE BIG EEDJIT! IT WISNAE THAT KIND O' BOWLIN' I MEANT!
OH, I KEN WHIT YE MEAN NOW!

I'M GREAT AT THIS KIND O' BOWLIN' AS WELL! JIST LOOK AT THE CURVE ON THAT YIN!
WULLIE! ARE YOU PLAYIN' WI' MY BOWLS?
AHEM!

TRIP
ER, I SUPPOSE THE ANSWER TAE THAT IS YES!

IT WISNAE THAT KIND O' BOWLIN' EITHER, WULLIE!
EH?

GREENGROCER
YE MEAN TEN-PIN BOWLIN'...

IRONMONGER
...LIKE THIS?
CRASH!

NO, NO' THAT KIND O' BOWLIN' EITHER!

I GIE UP, THEN. WHAT OTHER KIND O' BOWLIN' IS THERE?
USE YER LOAF, WULLIE! MA GAVE ME MONEY TAE GET A HAIRCUT AND I'M TRYIN' TAE SAVE IT!

THIS KIND O' BOWLIN'! HOW DID YE NO' SAY SO IN THE FIRST PLACE?
SNIP

ER, I'M NO' VERY GUID AT THAT KIND!
HMPH!

Wullie's afraid — o' an air-raid.

WHISSAT NOISE?
ZZZZZZZZZ

CRIVVENS!

HO-HO! LIKE MY REMOTE-CONTROL PLANE, WULLIE?
OH, AYE! AFFY SMART! HMPH!

LATER —
TEA UP, DUCKS!

HAW-HAW! I'VE GOT A REMOTE CONTROL SPEEDBOAT, TOO! AND OTHER MODELS!
SHEESH!

BET YE DINNA HAE A REMOTE CONTROL BUCKET!
HUH! THERE'S NO SUCH THING!

IZZATSO? ER, I'LL COME TAE YER HOOSE EFTER MY TEA AN' SHOW YE!
AFTER TEA, EH! HUH! I BET YOU DON'T SHOW UP!

BUT —
HERE YE ARE THEN — ONE REMOTE CONTROLLED BUCKET. WELL, ACTUALLY, IT'S VOICE CONTROLLED!
GUL

BUCKET — STOP!
IT'S A TRICK! I BET IT'S TIED TO YOUR LEG WITH A THREAD!
SCREECH!

SEE! NOTHIN' ON MY LEGS!

IT'S GOT YOUR PET MOUSE UNDER IT, THEN!

BLETHERS! LOOK — HERE'S JEEMY, IN MY POOCH!
GASP!

THAT'S IT, BUCKET. GIE HIM A DEMONSTRATION!
GOGGLE!

OH-OH! IT LOOKS LIKE IT'S TAKEN A DISLIKE TAE YOU! IT SOMETIMES DOES THAT. IT'S AFFY INTELLIGENT, YE SEE!

HELP! CALL IT OFF!
AYE, COME ON, BUCKET. LEAVE HIM ALANE! HE'S NO' USED TAE DEALIN' WI' REAL HI-TECH THINGS LIKE YOU!

THANKS, ECK! YE CAN TAK' YER MODEL CAR BACK NOW. HE'LL NO' BOTHER ME AGAIN!
SLAM
YER WELCOME, WULLIE!

NOW JIST SIT RIGHT THERE, BUCKET. NAE DASHIN' ABOO
HO-HO!

s this what you call—

a policeman's ball?

NO FOOTBALL
I'M A DAB HAND AT KEEPIE-UP!

CRIVVENS! P.C. MURDOCH! I'LL GET 99 YEARS FOR THAT!

AYE-AYE! PLAYIN' FITBA IN A PROHIBITED AREA, EH? AN' CAUSIN' A MEMBER O' THE CONSTABULARY TAE HAE AN ACCIDENT! YER NAME . . .
NO FOOTBALL
THINKING FAST!

PIT THE HANDCUFFS ON, P.C. MURDOCH! I'M JIST ANE O' LIFE'S FAILURES!
EH?

IF I'D BEEN ABLE TAE PLAY KEEPIE-UP PROPERLY, YE'D NEVER HAE NOTICED ME HERE, BUT I CANNA GET THE HANG O' IT!
HMPH! WHIT A THING TAE ADMIT! WHY, WHEN I WIS YOUR AGE, I COULD KEEP THE BA' UP FOR AGES!

REALLY? MEBBE YE COULD GIE ME A FEW TIPS!
ER, WELL, OKAY!

THERE YE ARE, SEE! I'M STILL A KEEPIE-UP STAR!
AYE, SO YE ARE. AN' RICHT BESIDE THE NAE FITBA SIGN AS WEEL . . !
NO FOOTBALL

YE CHEEKY WEE DEIL! TRY TAE SET ME UP SO I'LL NO' BOOK, YE, EH! NAE CHANCE!
NO FOOTBALL

BUT —
GULP! IT'S THE SERGEANT! I'M FOR IT NOO!
WHACK!

WHA KICKED THAT BA'?
QUICK! GIES YER HAND!

INNOCENCE!
OH, ER, ME, SERGEANT! BUT YER EVER VIGILANT P.C. MURDOCH HAS APPREHENDED ME A' READY!
GOOD WORK, MURDOCH. I'LL LEAVE IT A' TAE YOU!

YE'RE A PAL, WULLIE! ER, LET'S JIST FORGET THE WHOLE BUSINESS!
RIGHT! SHAKE!

SEE YON MURDOCH! HE'S A BRAW BOBBY!

Wullie's lookin' —

for a richt guid drookin'.

I THINK I'LL TAK' A STROLL THROUGH THE TOON!

ACH! I'M GOIN' TAE GET CAUGHT IN THE RAIN!

OH, WELL, THERE'S A GUID SIDE TAE GETTIN' SOAKED. MICHT AS WELL MAK' THE BEST O' IT!

WID YE BELIEVE IT — IT'S GOIN' AFF!

HIYA, MR WULSON!

HULLO, WULLIE— JINGS! SORRY!
GLUB! THAT'S A'RICHT!

I'LL TAK' A SHORTCUT ACROSS PRANNY BURN!

DEARIE ME! I MISJUDGED IT!

DINNA MISS ANY CORNERS, MR McKAY!
DROOKIT!

YE DAFT GOWK! SERVES YE RICHT FOR GIEIN' ME SUCH A FRICHT!
SPLASH!
AYE, IT DOES THAT!

EVEN MAIR DROOKIT!
HO-HUM!

WATCH THAT PLANK!
ANY MEENIT NOW!

SEE!
JINGS! SORRY, SONNY!
OCH, THAT'S A'RICHT!

NOW A' I NEED IS FOR AUNTY AGGIE TAE BE AT HER WINDIE!

SHE IS!
WULLIE!

PUIR WEE SOWEL! YE MUST HAVE GOT DROOKIT IN THAT RAIN. COME INSIDE AT ONCE!

GET THAT TOAST AND COCOA INSIDE YE WHILE I DRY YER CLAES!

AUNT AGGIE IS AFFY CONCERNED ABOUT MY HEALTH!
WINK!

A game o' conkers —

drives Wullie bonkers!

IT'S THE CONKER SEASON AGAIN!

MY CHAMPION CHESSIE WILL KNOCK YOURS TAE —

OH, CRIVVENS! P.C. MURDOCH!

WHIT'S THE RUSH?
RUN!

GUID! HE'S OOT O' SIGHT! WE CAN GET ON WI' IT!
BUT MURDOCH'LL NO' BE BOTHERED ABOOT US PLAYIN' CONKERS!

THEN —
NOW THEN, LADS!
OH, NO! IT'S HIM AGAIN!

JINGS! IT MUST BE AN OFFENCE TAE PLAY CONKERS! MURDOCH WIS REACHIN' FOR HIS NOTEBOOK!
COME ON!

WE SHOULD BE A'RICHT IN HERE!

PLAY!

UT —
CAUGHT YE! AN' THERE'S NAE ESCAPE THIS TIME!

NOW YE'LL NEED TAE LET ME CHALLENGE YE!
OH, ER, SURE THING, P.C. MURDOCH!
SIGH!

TELT YE MINE WIS A SUPER-CHAMP!
SMASH!

I WISH YON BOBBY WID GROW UP!

FRESH ROLLS

Wullie's no' very shair — in the big black chair!

HE'S AWA' IN TAE WATCH MASTERMIND . . .

JINGS, THAT MASTERMIND'S A BRAW PROGRAMME!

I'D LOVE TAE BE ON IT!

YOUR NAME AND SPECIALIST SUBJECT, PLEASE!
MOISTUREMIND
QUIZMASTER MAGNUM OPUS
WULLIE! THE HISTORY O' BUCKETS FROM 54 A.D. TAE THE PRESENT TIME!

WHO IS SAID TO HAVE INVENTED THE BUCKET?
A ROMAN SOJER, CLAUDIUS BUCKETIUS! HE PUT WATER IN IT TAE WASH HIS CHARIOT!

WHAT IS THE EXPRESSION FOR HEAVY RAIN?
BUCKETIN' DOON!
MOISTUREMIND
QUIZMASTER MAGNUM OPUS

WHO HAD A HIT RECORD ABOUT A BUCKET IN THE 1960'S?
HARRY BELAFONTE! IT WAS CALLED, 'THERE'S A HOLE IN MY BUCKET!

WHICH NURSERY RHYME CHARACTERS HAD A TERRIBLE ACCIDENT CONNECTED WITH A BUCKET?
MOISTUREMIND
JACK AN' JILL!

WHO HOLDS THE WORLD RECORD FOR THE LONGEST THROW OF A BUCKET?
MY PA, AFTER HE TRIPPED OVER MINE IN JULY, 1987!

JINGS! ONE MORE CORRECT ANSWER AN' I'M IN THE LEAD!

WHAT FAMOUS YOUNG SCOT CAN BE SEEN SITTING ON A BUCKET EVERY WEEK?
ER . . .

OH . . . ER . . . ACH . . . HMM . . .

AND —
CRIVVENS! I THOUGHT THAT HARD IN MY DREAM, I WOKE MYSELF UP! NOW I'LL NEVER KNOW IF I WON!

HUH! I STILL CANNA THINK O' THE ANSWER ANYWAY!

Sleepin' in —

is an awfy sin!

HE'S NO' UP YET.

WULLIE! YE'VE SLEPT IN AGAIN!

JINGS, AULD GROUSER WINNA BE PLEASED!

HE'S NOT!
THAT'S THE SECOND TIME THIS WEEK YOU'VE SLEPT IN, WILLIAM. I WANT NO MORE OF IT!

THAT NIGHT—
I'LL SET MA'S ALARM CLOCK FOR SEVEN O'CLOCK!

BBBRRRRING

BUT — NEXT MORNING.
YE'VE SLEPT IN AGAIN! DID YE NO' HEAR THE ALARM?

NEXT TIME YOU'LL BE IN REAL TROUBLE, WILLIAM!
SMIRK!

I'LL LAY THE CLOCK ON A TIN TRAY!

THIS TIME I'LL REALLY HEAR IT!

BUT—
TICK! TOCK! TICK! TOCK!
CRIVVENS! WHIT A DIN!

IT'S NAE GUID! I CANNA GET TAE SLEEP FOR THAT DIN! I MICHT AS WEEL GET UP!

ACH, WELL, AT LEAST I'LL BE IN TIME THIS MORNING. NAEBODY ELSE IS UP YET!

BUT AT NINE O'CLOCK.
GORDON, ROBERT, WILLIAM . . . WILLIAM? HAS ANYBODY SEEN WILLIAM?

I SUPPOSE HE'S SLEPT IN AGAIN!
ZZZZZZZ

HMPH! TEACHER DIDNA BELIEVE ME!

"Use the stair? —

Ach! that's no' fair!"

HE'S JIST COMIN' OOT!

WATCH THIS, FOLKS!

WAHEY!
WULLIE!

DINNA LET ME SEE YE DAE THAT AGAIN!

USE THE STAIRS!

LATER —
I'LL TRY SLEDGIN' DOON ON MA'S TRAY!

WAHEY!

BUT —
WULLIE!

I'LL NO' TELL YE AGAIN. USE THE STAIRS. NAE BANISTERS — NAE TRAYS!

LATER —
HE DIDNA SAY ANYTHIN' ABOOT CAIRTIES!

B-B-B-BRAW!

THAT'S IT! INTAE YER BEDROOM!

I'M HAEIN' NAE MAIR NONSENSE!
RANT
FUME
WATCH OOT!

TOO LATE!
SHEESH!

AIEEE!

HMPH!
CRASH!

HOW COME YOU'RE ALLOWED TAE COME DOON ON A SKATEBOARD!

FAITHERS GET A' THE FUN!

The paper's soggy — licked by a doggy!

HE'S NO' HERE!

AYE, IT'S NO' EASY WORKING FOR A LIVING ON A DAY LIKE THIS!
THIS IS MY LAST DELIVERY AT NUMBER 16.
NEWS

I'D BETTER WATCH. I DINNA WANT A' THE PAPERS TO GET SOAKED!
NEWS

NEWS

WID YOU BELIEVE IT! THEY'RE WRINGIN'!
NEWS

I HOPE YE DINNA MIND IF I DRY THESE AT YER FIRE, LADS!
HELP YOURSELF, WULLIE!

PIT THEM IN THIS POLLY CARRIER BAG! THAT'LL KEEP THEM DRY!

WHAT WAS IN THIS BAG AFORE?
MY PIECES! MY JAM PIECES!

LOOK AT THEM— THEY'RE A' JAM! I'LL NEED T' DRY CLEAN THEM!

NO' SAE HARD, MEG! YE'RE LICKIN' AFF THE FITBA' RESULTS!

RIGHT, HERE WE GO...NUMBER 16...IT'S JUST UP THE ROAD HERE!
NEWS

FISH 'N' CHIPS
THANKS, WULLIE! YE KEN, I NEVER ACTUALLY GET ROOND T' READING THEM A'!

BUT THAE BIG SUNDAY PAPERS ARE HANDY FOR WRAPPIN' UP THE CHIPS!
AFTER A' MY TROUBLE!
16

STILL, EDDIE'S CHIPS ARE GOOD!

Well, fancy that —

a dressed-up cat!

HERE, PUSS! COME AWA' BEN IN HERE!

PUT ON MY AULD BABY BONNET AN YE CAN HAVE A COSY, PEACEFUL DOZE!
BISCUIT

NOW FOR GOLDIE, MY GOLDFISH!

YE CAN BORROW MY BUCKET FOR A WHILE, GOLDIE. THERE'S A HOLE IN THE TOP SO YE'LL NO' SUFFOCATE!

ROVER NEXT DOOR IS A PROBLEM!

I THINK I'VE CRACKED IT!

JUST LISTEN TAE THE NICE MUSIC, ROVER! AN' YE'LL NO' HEAR ANYTHIN' ELSE!

CRIVVENS! WHAT ABOOT FARMER WILSON'S HORSE?

HOPE THE FARMER HAS A VIDEO!
VIDEO HIRE

I'M NO' SURE THIS IS NECESSARY, WULLIE, BUT IT'S A KIND THOUGHT!

THERE YE ARE, DOBBIN! A COWBOY FILM WI' LOTS O' HORSES IN IT! THAT'LL KEEP YER MIND AFF ANYTHIN' ELSE!

THINK THAT'S EVERYBODY CATERED FOR!

JINGS! NO! I NEARLY FORGOT JEEMIE!

JUST YOU KEEP IN THAT COTTON WOOL, JEEMIE, AN' YE'LL NO HEAR A THING!

BANG
BANG
WHIZZZZZZZ
FIZZZ
THE TOON'S HAEIN' A FIREWORKS CELEBRATION THE NIGHT. CAN'T HAE THE ANIMALS FRIGHTENED!

THAT WIS BRAW!

Pair Wullie — is feelin' chilly!

BRR! I'M FREEZIN'!

I'LL GO AN' SEE GRANPAW BROON. HE'S AYE GOT A RARE FIRE ON.

BUT—
OPEN UP, GRANPAW. IT'S ME . . . WULLIE!
SORRY, WULLIE. I'VE GOT A CAULD . . .

YE'LL GET THE SMIT IF I LET YE IN!

I'LL STAND OOTSIDE THE BAKERY AND GET HEATED UP!
BAKERY

BUT—
CLOSE THAT WINDIE, TAM. THERE'S AN AFFY DRAUGHT COMIN' IN!

ACH!
SLAM!

I'LL GO AN' SEE THE BOATMAN AT THE PARK. HE'S AYE GOT A WEE FIRE IN HIS BUCKIE!
PARK

I'M CLOSIN' EARLY, WULLIE. THE BOATS ARE FROZEN IN!

HELLO, WULLIE. WHIT'S WRANG WI' YOU?
SHIVER!

I'M FREEZIN'!
HMPH!

TRY FLAPP!N' YER ARMS. THAT'LL HEAT YE UP!

IT'S WORTH A TRY!

OOPS!
OOYAH!
JINGS! IT'S BASHER McKAY!

COME BACK!
NAE FEARS!

PHEW! P.C. MURDOCH WIS RIGHT! I SHOULD'VE THOUGHT O' THAT MASEL! I'M BILIN' NOW!

Wullie fears the worst —

so he gets ready first!

I THINK I'D BETTER MAK' SOME ARRANGEMENTS . . .

AND SO —
AYE, YE CAN BORROW IT, BUT ONLY IF YE CAN DAE SOMETHIN' FOR ME!
ER, LIKE WHAT?

WELL, I DINNA LIKE WASHIN' THE DISHES!
YE DRIVE A HARD BARGAIN!

MIND AN' LOOK EFTER IT!
OF COURSE I WILL!

LATER —
NOW FOR THE NEXT BIT!

SNIFF! SNIFF! AHH . . . LOVELY!

ER, DID YE WANT SOMETHIN', WULLIE?
EH? OH, NO, MRS BLACK. I JIST LIKE TAE SIT AN' SNIFF THE SMELL O' YER BAKIN'! THERE'S NOTHIN' TAE BEAT IT!

AWA', YE WEE FLATTERER! YE GET ROOND ME EVERY TIME!
THANKS, MRS BLACK!

AND FINALLY —

I LENT YE FOWER BEANOS AND TEN DANDYS WHICH ARE NOW OVERDUE. HAND THEM BACK OR PAY A FINE!

YE AULD MISER! I HAVENA FEENISHED READIN' THEM!
YE SHOULDNA BE SUCH A SLOW READER!

WELL, THAT'S ME A' PREPARED — ER, AN' JIST IN TIME, TAE!
WULLIE!

IT'S NO' ONE PANE BROKEN WI' YER FITBA THIS TIME BUT TWA! YE'RE BANISHED TAE YER BEDROOM!
SIGH!

AYE, BEIN' SENT TAE YER BEDROOM IS A'RIGHT — AS LONG AS YE PLAN FOR IT!

WHIT A LAUGH!

Oor crafty wee chappie —

likes tae keep fowk happy!

TIME I WIS AFF ON MY PAPER ROOND!

HERE WE GO, THEN . . . FIRST ON THE LIST!

♫ IT'S WULLIE HERE, WI' A SMILE AN' A SONG, BRINGIN' YER EVENIN' PAPER ALONG! ♫
GASP!

WHA'S NEXT, THEN? MR JOY . . . I'LL WRITE HIM A WEE NOTE!

WHAT'S THIS? HAPPY READING, MR JOY, FROM WULLIE, YER FRIENDLY PAPER BOY!

AND—
WHO'S THAT AT THE WINDOW?
TAP!

HO-HO!
WELL!
WULLIE, YER FRIENDLY PAPER BOY HAS JUST DELIVERED YER WEEKLY NEWS

THEN—
BET YE THIS IS THE FIRST TIME A PEOPLE'S FRIEND'S BEEN GIFT WRAPPED!

AH, GUID AFTERNOON, MRS PHINN. PRAY ACCEPT YOUR PEOPLE'S FRIEND!
YE'RE AN AFFY LADDIE, WULLIE!

THE END OF THE WEEK . . .
JINGS, WULLIE, YER CUSTOMERS HAVE LEFT YE LOTS O' TIPS THIS WEEK!
INNOCENCE!
IS THAT SO?

AH, WELL, YE CANNA BE TOO CAREFUL GETTIN' NEAR CHRISTMAS!
JINGLE!

WINK!

Wullie's one-man-band —

is really something grand!

I NEED SOME MONEY FOR CHRISTMAS SHOPPIN'!

THIS MICHT DAE....

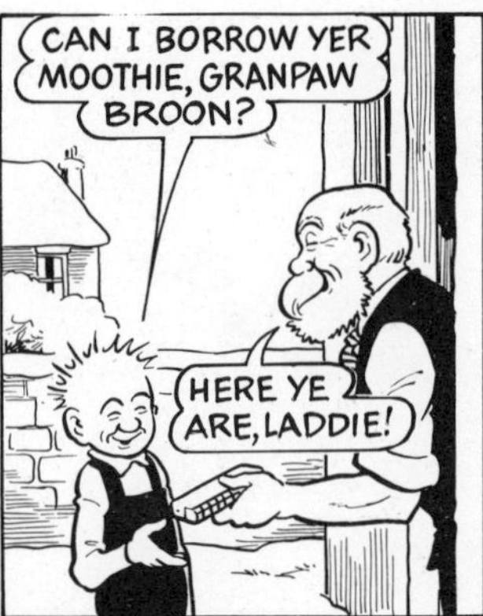
CAN I BORROW YER MOOTHIE, GRANPAW BROON?
HERE YE ARE, LADDIE!

BOB DYLAN, EAT YER HEART OOT!

BANK
MARKS

FOWK ARE RIGHT GENEROUS AT CHRISTMAS!

HOURS LATER—
JINGS! I'VE MADE MAIR MONEY THAN 'SIMPLE MINDS'!

CRIVVENS! I CANNA LIFT MY WAGES

WE'LL COUNT IT FOR YE, WULLIE!

A FIFTY POUND NOTE! I'VE NEVER **SEEN** ANE O' THEM AFORE!
50

BUS STOP

A HALF T'STOORIE ROAD....AN' I'VE NAE CHANGE!
I HAVE PLENTY!

THIRTY-THREE POUNDS, 85 PENCE, THIRTY-THREE POUNDS, 86 PENCE, THIRTY-THREE POUNDS, 87 PENCE....

WULLIE! HOW DID YE NO' GET IT CHANGED AT THE BANK?
I...WELL, I DID, BUT... OH, NEVER MIND!

FIVE TEN POUND NOTES.... FOUR CREDIT CARDS, THREE FRENCH FRANCS, TWO POLO MINTS AND A HAIRGRIP AND A BAWBEE!
Merry Christmas
MONEY

Nothing can shift —

that big snaw-drift!

JINGS, IT'S CAULD! I THINK I'LL AWA' IN AN' WATCH THE TELLY!

HEAVY SNOW IS EXPECTED OVERNIGHT . . .
SNA'? YIPPEE!

WHAUR'S MY SLEDGE?
I'M NO' GOIN' TAE BE CAUGHT OOT LIKE LAST TIME . . .

BY THE TIME I FOUND MY SLEDGE, THE SNA' HAD STARTED TAE MELT!

THE YEAR AFORE WIS JIST AS BAD. I FORGOT I'D PIT WHEELS ON MY SLEDGE IN THE SUMMER TAE MAK' IT INTAE A CAIRTIE . . .

. . . AND BY THE TIME I GOT THEM AFF, THE SNA' WIS AWA' AGAIN!

THIS TIME I'M GOIN' TAE BE READY! I'LL TAK' IT UP TAE THE PARK RIGHT NOW!

I'LL BE THE FIRST ON THE SLOPES THE MORN'S MORNIN'!

BETTER HAE AN EARLY NICHT. I DINNA WANT TAE MISS A MEENIT O' THE FUN THE MORN!

NEXT MORNING —
IT'S COME! IT'S HERE!

WAHEY! SLEDGIN' HERE I COME!
PARK

BUT —
OH, NO!

MY SLEDGE! IT'S COVERED! WHAUR DID I LEAVE IT?

HALF AN HOUR LATER —
IT'S HERE SOMEWHERE!
WHIT'S WRANG, WULLIE?
WHY ARE YE NO' SLEDGIN'?

WID YE BELIEVE IT! BY THE TIME I FOUND IT, THE SNA' HAD MELTED!
SLUSH

Hip hooray — for Hogmanay! —

an' efter it comes New Year's Day!

I'M STAYIN' UP LATE T' GO FIRST-FOOTIN'!
12 O'CLOCK—
HAPPY NEW YEAR!
WE'LL GO NOW AFORE ANYONE COMES T' FIRST-FOOT US. WE'D NEVER GET OOT!
WE'LL FIRST-FOOT SOAPY FIRST.
I HAE A 'BROONS' BOOK AS A FIRST FOOT!
THE SOUTARS ARE NO' IN! THEY'RE AWA' T' GLENCOE FOR THE NEW YEAR!
I'M NO' GOIN' A' THE WAY T' GLENCOE!
TRY FAT BOB! NOW WE'LL GET THE PARTY GOIN'!
HE'S OOT AN' A'!
I'VE A FEELIN' BOB'S AWA' T' FIRST-FOOT YOU, WULLIE!
DINNA WORRY! WE'LL POP IN ON P.C. MURDOCH!
HE'S NO' IN! IT'S HIS TURN T' DAE THE NEW YEAR WORK SHIFT!
LET'S VISIT THE BROONS! THEY'RE NEVER OOT!
GLEBE ST.
SORRY! THEY'RE AWA' T' THE BUT-'N'-BEN!
JINGS! ABODY'S OOT!
IT'S GETTIN' ON!
WHAUR NOW?
HAPPY NEW YEAR, FOLKS! LOOKIN' FOR THE BROONS, ARE YE?
POLICE
I HAVE A CALL OOT PAST BIRKY! I'LL DROP YE AT THE BUT-'N'-BEN!
POLICE
POLICE
THEY HAD A RARE PARTY AT THE INN LAST NICHT!
BIRKY INN
I'VE YET T' SEE A PARTY!
POLICE
NOW YE'LL BE ABLE TO GET IN THE PARTY MOOD!
HAPPY NEW YEAR, MR BROON!
HAPPY NEW YEAR TO YOU! WHAUR'S WULLIE?
HERE HE IS! HE FELL ASLEEP IN THE CAR!
ZZZZ
PUIR SOWEL!
NOW I'M AWAKE AND THEY'RE A' IN BED! ACH, I PREFER CHRISTMAS ONYWAY!